D0323726

L'ÉCOLE DES FEMMES

Œuvres de
ANDRÉ GIDE

nrf

Chez d'autres éditeurs :

BU

ANDRÉ GIDE

L'ÉCOLE
DES FEMMES
ROBERT
GENEVIÈVE

nrf

GALLIMARD
dix-huitième édition

Il a été tiré de cet ouvrage, en octobre 1944, mille cinquante exemplaires sur héliona des Papeteries Navarre dont mille exemplaires numérotés de I à 1000, et cinquante exemplaires hors commerce numérotés de I à L.
Ces exemplaires portent la mention EXEMPLAIRE SUR HÉLIONA *et sont reliés d'après la maquette de Paul Bonet.*

Il a été tiré en outre, en juin 1947, mille quarante exemplaires sur plumex des Papeteries Téka dont neuf cent quatre-vingt-dix exemplaires numérotés de 1001 à 1990 et cinquante exemplaires hors commerce numérotés de 1991 à 2040
Ces exemplaires portent la mention EXEMPLAIRE SUR PLUMEX *et sont reliés d'après la maquette de Paul Bonet.*

-843
G36e

Tous droits de reproduction, de traduction et d'adaptation réservés pour tous les pays y compris la Russie.
Copyright by Librairie Gallimard 1944.

48 3211

L'ÉCOLE DES FEMMES

A
EDMOND JALOUX
en amical souvenir
de nos conversations de 1896

PREMIÈRE PARTIE

1er août 1928.

Monsieur,

Après bien des hésitations, je me décide à vous envoyer ces cahiers, copie dactylographiée du Journal que m'a laissé ma mère. Elle mourut le 12 octobre 1916 à l'hôpital X, où depuis cinq mois elle donnait ses soins aux contagieux.

Je ne me suis permis d'y changer que les noms propres. Je vous laisse libre de publier ces pages si vous pensez que leur lecture puisse n'être pas sans profit pour quelques jeunes femmes. Dans ce cas, l'Ecole des Femmes *serait un titre qui me plairait assez, si vous n'estimez pas indécent de s'en servir après Molière. Il va sans dire que les mots « première partie, seconde partie, épilogue » sont rajoutés par moi.*

Ne cherchez pas à me connaître et permettez-moi de ne pas signer cette lettre de mon vrai nom.

GENEVIÈVE D...

Mon ami,

Il me semble que c'est à toi que j'écris. Je n'ai
jamais tenu de journal. Je n'ai même jamais rien
su écrire que quelques lettres. Et je t'en écrirais
sans doute si je ne te voyais pas tous les jours. Mais
si je dois mourir la première (ce que je souhaite,
car la vie sans toi ne me paraît plus qu'un désert),
tu liras ces lignes ; il me semblera, te les laissant,
te quitter un peu moins. Mais comment songer à
la mort quand nous avons devant nous toute la
vie ? Depuis que je te connais, c'est-à-dire depuis
que je t'aime, la vie me paraît si belle, si utile, si
précieuse que je n'en veux rien laisser perdre ; je
sauverai dans ce cahier toutes les miettes de mon
bonheur. Et que ferais-je chaque jour, après que
tu m'as quittée, sinon revivre des instants écoulés
trop vite, évoquer ta présence ? Avant de t'avoir
rencontré je souffrais, je te l'ai dit, de sentir ma
vie sans emploi. Rien ne me semblait plus vain
que ces occupations mondaines où m'entraînaient
mes parents et où je vois mes amies prendre tout

leur plaisir. Une vie sans dévouement, sans but,
ne pouvait pas me satisfaire. Tu sais que j'ai sérieu-
ment songé à me faire garde-malade ou petite-
sœur des pauvres. Mes parents haussaient les
épaules lorsque je leur parlais de cela. Ils avaient
raison de penser que toutes ces velléités céderaient
lorsque j'aurais rencontré celui dont mon âme
pourrait s'éprendre. Pourquoi papa ne veut-il pas
admettre aujourd'hui que celui-là, ce soit toi ? Tu
vois comme j'écris mal. Cette phrase que j'écris
en pleurant me semble affreuse. Aussi pourquoi
l'ai-je relue ? Je ne sais si j'apprendrai jamais à
bien écrire. En tout cas ce ne sera pas en m'appli-
quant.

Je disais donc qu'avant de t'avoir rencontré je
cherchais un but à ma vie et maintenant tu es
mon but, mon occupation, ma vie même et je ne
cherche plus que toi. Je sais que c'est à travers
toi, par toi, que je puis obtenir de moi le meilleur ;
que tu dois me guider, me porter vers le beau,
vers le bien, vers Dieu. Et je demande à Dieu de
m'aider à vaincre la résistance de mon père ; et,
comme pour la rendre plus efficace, j'écris ici ma
fervente prière : Mon Dieu, ne me forcez pas à
désobéir à papa. Vous savez que c'est Robert
que j'aime, et que je ne pourrai jamais être qu'à
lui.

A vrai dire, ce n'est que depuis hier que je comprends quel peut être le but de ma vie. Oui, ce n'est
que depuis cette conversation, dans le jardin des
Tuileries, où il m'a ouvert les yeux sur le rôle de
la femme dans la vie des grands hommes. Je suis

si ignorante que j'ai malheureusement oublié les exemples qu'il m'a donnés ; mais j'ai du moins retenu ceci : c'est que ma vie entière doit être désormais consacrée à lui permettre d'accomplir sa glorieuse destinée. Naturellement ce n'est pas là ce qu'il m'a dit, car il est modeste ; mais c'est ce que j'ai pensé, car je suis orgueilleuse pour lui. Je crois du reste que, malgré sa modestie, il a une conscience très nette de sa valeur. Il ne m'a pas caché qu'il était très ambitieux.

— Ce n'est pas que je tienne à parvenir, — m'a-t-il dit avec un sourire charmant ; — mais je tiens à faire réussir les idées que je représente.

J'aurais voulu que mon père pût l'entendre. Mais papa est si buté à l'égard de Robert qu'il aurait pu voir là ce qu'il appelle de... Non ! je ne veux pas même l'écrire. Comment ne comprend-il pas que par de telles paroles ce n'est pas à Robert qu'il fait du tort mais à lui ? Ce que j'aime en Robert précisément, c'est qu'il n'ait pas de complaisance envers lui-même, qu'il ne perde jamais de vue ce qu'il se doit. Près de lui il me semble que tous les autres ignorent ce que l'on peut vraiment appeler : dignité. Il ne tiendrait qu'à lui de m'en écraser mais, lorsque nous sommes seuls, il a souci de ne me la faire jamais sentir. Même je trouve que parfois il exagère un peu lorsque, par crainte que je ne me sente trop petite fille auprès de lui, il s'amuse à faire lui-même l'enfant. Comme je le lui reprochais hier, il a pris soudain un air très grave et a murmuré avec une sorte de nostalgie ravissante :

— L'homme n'est qu'un enfant vieilli, — en

reposant sa tête sur mes genoux car il s'était assis
à mes pieds.

Il serait vraiment lamentable que tant de mots
charmants, si profonds parfois, si chargés de sens,
soient perdus. Je me promets d'en noter ici le plus
grand nombre possible. Il aura plaisir à les retrouver plus tard, j'en suis sûre.

C'est tout de suite après que nous avons eu l'idée
du journal. Et je ne sais pourquoi je dis : nous.
Cette idée, comme toutes les bonnes, c'est lui qui
l'a eue. Bref, nous nous sommes promis d'écrire
tous deux, c'est-à-dire chacun de notre côté, ce
qu'il a appelé : *notre* histoire. Pour moi c'est facile
car je n'existe que par lui. Mais quant à lui, je
doute qu'il y parvienne, lors même que le temps
ne lui manquerait pas. Et même je trouverais mauvais d'occuper par trop sa pensée. Je lui ai longuement dit que je comprenais qu'il avait sa carrière, sa pensée, sa vie publique, que ne devait
pas se permettre d'encombrer mon amour ; et
que, s'il devait être toute ma vie, je ne pouvais
pas, je ne devais pas être toute la sienne. Je
serais curieuse de savoir ce qu'il a noté de tout
cela dans son journal ; mais nous avons fait un
grand serment de ne pas nous le montrer l'un à
l'autre.

— C'est à ce prix seulement qu'il peut être sincère, — m'a-t-il dit en m'embrassant, non pas sur
le front mais exactement entre les yeux, comme
il fait volontiers.

Par contre, nous sommes convenus que celui de
nous deux qui mourrait le premier léguerait son
journal à l'autre.

— C'est assez naturel, — ai-je dit un peu sotte-
ment.

— Non, non, — a-t-il repris sur un ton très
grave. — Ce qu'il faut se promettre c'est de ne
pas le détruire.

Tu souriais quand je disais que je ne saurais pas
quoi y mettre, dans ce journal. Et en effet voici
que j'en ai déjà rempli quatre pages. J'ai bien du
mal à me retenir de les relire ; mais, si je les relisais,
j'aurais plus de mal encore à me retenir de les
déchirer. Ce qui m'étonne, c'est le plaisir que déjà
je commence à y prendre.

12 *octobre* 1894.

Robert a été brusquement appelé à Perpignan
auprès de sa mère dont il a reçu d'assez mauvaises
nouvelles.

— J'espère que cela ne sera rien, — lui ai-je dit.

— On dit toujours cela, — a-t-il répliqué avec
un grave sourire qui laissait voir combien au fond
il était préoccupé. Et je m'en suis voulu tout aussitôt de ma phrase absurde.

S'il fallait enlever de ma vie tous les gestes de
ma conversation, toutes les phrases, que je dis et
que je fais par banalité, que resterait-il ? Et dire
qu'il a fallu le contact d'un homme supérieur pour
me faire m'en apercevoir ! Ce que j'admire en
Robert, c'est précisément qu'il ne dit rien et ne
fait rien comme n'importe qui ; et, avec cela, rien
en lui de prétentieux, de recherché. J'ai longtemps

cherché le mot qui convenait pour caractériser son aspect, ses vêtements, ses propos, ses gestes ; « original » est trop marqué ; « particulier »... « spécial »... Non ; c'est au mot « distingué » que je reviens ; et je voudrais qu'on n'eût employé ce mot pour nul autre. Cette extraordinaire distinction de tout son être et de ses manières, je pense qu'il ne la doit qu'à lui-même, car il m'a laissé entendre que sa famille était assez vulgaire. Il dit qu'il ne rougit pas de ses parents : mais ceci même laisse entendre qu'une nature moins droite et moins noble pourrait en rougir. Son père était, je crois, dans le commerce. Robert était très jeune encore quand il l'a perdu. Il n'en parle pas volontiers et je n'ose l'interroger. Je crois qu'il aime beaucoup sa mère.

— C'est d'elle seule que vous auriez raison d'être jalouse, m'a-t-il dit lorsque nous ne nous tutoyions pas encore. Il avait une sœur plus jeune que lui, qui est morte.

Je veux profiter de son absence et du temps qu'elle me laisse, pour conter ici comment nous nous sommes connus. Maman voulait m'entraîner chez les Darblez qui donnent un thé où l'on doit entendre un violoncelliste hongrois extrêmement remarquable, paraît-il ; mais j'ai prétexté une violente migraine pour qu'on me laisse tranquille et seule... avec Robert. Je ne comprends plus comment j'ai pu me laisser prendre si longtemps aux « plaisirs du monde », ou plutôt je ne comprends que trop que ce que j'en aimais c'était ce qui flattait ma vanité. A présent que je ne cherche plus que l'approbation de Robert, peu m'importe de plaire aux

autres, ou c'est à cause de lui et pour le plaisir que
je vois bien qu'il en éprouve. Mais, en ce temps si
proche et qui me paraît déjà si lointain, quel prix
n'attachais-je pas aux sourires, aux approbations,
aux éloges, à l'envie même et à la jalousie de quelques compagnes après que, sur un second piano,
j'eus (et assez brillamment, j'en conviens) tenu la
partie de l'orchestre dans le cinquième concerto
de Beethoven tandis que Rosita exécutait le solo !
Je faisais la modeste, mais combien j'étais flattée
de recevoir plus de félicitations qu'elle ! « Rosita,
ça n'a rien d'étonnant ; c'est une professionnelle ;
mais Éveline... » Ceux qui applaudissaient le plus
étaient des gens qui n'entendaient rien à la musique. Je le savais, mais acceptais leurs louanges
dont j'aurais dû sourire... Je pensais même :
« Après tout, ils ont plus de goût que je ne croyais ».
C'est ainsi que je me prêtais à cette parade absurde..
Si ; je vois bien l'amusement qu'on y peut prendre :
c'est celui de la moquerie. Mais, dans une société,
c'est toujours moi qui me parais le plus ridicule.
Je sais que je ne suis ni très jolie ni très spirituelle,
et ne comprends pas bien ce que Robert a pu
trouver en moi qui méritât qu'il s'en éprenne. Je
n'avais pour briller dans le monde d'autre ressource
que mon passable talent de pianiste, et, depuis
quelques jours, j'ai abandonné le piano, défini-
tivement sans doute. A quoi bon ? Robert n'aime
pas la musique. C'est le seul défaut que je lui
connaisse. Mais, par contre, il s'intéresse si intelli-
gemment à la peinture que je m'étonne qu'il n'en
fasse pas lui-même. Comme je le lui disais, il a
souri et m'a expliqué que lorsqu'on était « affligé »

(c'est le terme dont il s'est servi) de dons trop
divers, la grande difficulté était de ne pas accorder
trop d'importance à ceux de ses dons qui méritaient
le moins d'en avoir. Pour s'occuper vraiment de la
peinture, il aurait dû sacrifier trop d'autres choses,
et ce n'est pas en peignant, m'a-t-il dit, qu'il estimait pouvoir rendre le plus de services. Je crois
qu'il veut faire de la politique, mais il ne me l'a
pas dit expressément. Du reste, quoi que ce soit
qu'il entreprenne, je suis certaine qu'il réussira.
Et même ce qui pourrait m'attrister un peu, c'est
de sentir qu'il a si peu besoin de mon aide pour
réussir n'importe quoi. Mais il est si bon qu'il feint
de ne pouvoir se passer de moi, et ce jeu m'est si
doux que je m'y prête sans y croire.

Je me laisse entraîner à parler de moi, ce que je
m'étais pourtant promis de ne pas faire. Combien
l'abbé Bredel avait raison de nous mettre en garde
contre les pièges de l'égoïsme qui sait prendre parfois, nous disait-il, le masque du dévouement et de
l'amour. On aime à se dévouer, pour le plaisir de
penser que l'on est utile, et l'on aime à l'entendre
dire. Le parfait dévouement est celui qui ne serait
connu que de Dieu et qui n'attendrait que de Lui
le regard et la récompense. Mais je crois que rien
n'enseigne mieux la modestie, que d'aimer quelqu'un de valeur. C'est auprès de Robert que je
comprends le mieux ce qui me manque, et, le peu
que je suis, je voudrais l'ajouter à lui... Mais j'étais
partie pour raconter le début de *notre* histoire ; et
d'abord, comment nous nous sommes rencontrés.

C'était il y a six mois et trois jours, le 9 avril 1894.
Mes parents m'avaient promis un voyage en Italie

pour fêter mon prix au Conservatoire ; la mort de
mon oncle et les difficultés de sa succession, à cause
des enfants mineurs, avaient retardé ce projet ; et
déjà j'y avais renoncé, lorsque mon père, tout à
coup, laissant à Paris maman avec ses petites-
nièces, m'emmena passer les vacances de Pâques
à Florence. Nous étions descendus à la pension
Girard, que madame de T. avait eu raison de nous
recommander. Les pensionnaires étaient tous « de
bonne société », de sorte qu'il n'était pas désagréable
de se trouver réunis à eux à la table commune.
Trois Suédois, quatre Américains, deux Anglais,
cinq Russes et un Suisse. Nous étions seuls Français avec Robert. On parlait toutes les langues ;
mais surtout le français, à cause des Russes, du
Suisse, de nous trois, et d'un Belge que j'oubliais.
Aucun des convives n'était désagréable ; mais la
distinction de Robert les éclipsait tous. Il était en
face de mon père, qui se tient un peu sur la réserve
et souvent n'est pas très aimable avec les gens qui
ne sont pas de son milieu. Comme nous étions les
derniers arrivés, il était assez naturel que nous ne
nous mêlions pas aussitôt à la conversation. Pour
moi, j'aurais bien voulu parler, mais il n'était pas
décent que je me montre plus aimable que papa ;
j'imitais donc sa réserve, et, comme j'étais assise à
côté de lui, notre silence, dans l'animation générale,
formait un petit îlot de froideur. L'amusant c'est
que nous ne pouvions aller nulle part sans rencontrer quelques hôtes de la pension. Papa se voyait
bien forcé de répondre à leurs saluts et à leurs
sourires, et, quand nous nous mettions à table,
tout le monde savait que nous revenions de Santa-

Croce ou du Palais Pitti. — « C'est insupportable »,
disait papa ; mais tout de même sa glace fondait.
Quant à Robert, nous le retrouvions partout. En
entrant dans une église ou dans un musée, la première chose que l'on voyait c'était Robert. —
« Allons bon ! Encore... », s'écriait papa. Et
d'abord, pour ne pas nous gêner, Robert faisait
semblant de ne pas nous voir, car il était bien trop
fin pour ne pas comprendre que ces rencontres
continuelles irritaient papa. Il attendait donc que
papa consentît à le reconnaître et ne saluait jamais
le premier, par discrétion, feignant d'être absorbé
dans la contemplation d'un chef-d'œuvre. Et parfois le salut de papa se faisait attendre, car c'est
vis-à-vis de Robert que papa affectait le plus de
réserve. J'en étais même un peu gênée, car cette
réserve était telle qu'elle frisait l'insolence, je puis
bien le dire ; et il fallait tout le bon naturel de
Robert pour ne point s'en formaliser. Mais, comme
je ne pouvais m'empêcher de sourire, il comprenait
qu'il n'y avait pas là de mauvais vouloir, de ma
part du moins. J'avais même beaucoup de mal à
ne pas sourire, d'autant plus que papa se montrait
plus froid ; mais heureusement papa ne s'en rendait
pas compte, car ceci se passait un peu derrière son
dos. Robert avait le bon goût de ne pas montrer
qu'il le voyait et de ne jamais m'adresser directement la parole, ce que papa aurait très mal pris.
Je me reprochais un peu cette petite comédie qui
déjà créait entre Robert et moi, à l'insu de papa,
une muette correspondance. Mais quel moyen de
l'éviter ?

Ce qui augmentait les réticences de papa, c'est

que Robert « n'était pas dans ses idées ». Je n'ai
jamais très bien compris quelles pouvaient être les
idées de papa, car je n'entends rien à la politique,
mais je sais que maman lui reproche ce qu'elle
appelle son « matérialisme » et que papa n'aime
pas beaucoup « les curés ». Quand j'étais plus
jeune, je m'étonnais qu'il fût si bon, car il ne va
jamais à la messe, et je ne crois pas très juste ce
qu'il dit : que « la religion ne rend pas les gens
meilleurs ». Maman trouve qu'il est « buté » ; mais
je crois qu'il a meilleur cœur qu'elle, et quand ils
discutent ensemble, ce qui n'arrive que trop souvent, maman lui parle d'un tel ton que c'est vers
lui que va ma sympathie, même quand je ne puis
lui donner raison. Il dit qu'il ne croit pas au Paradis ; mais l'abbé Bredel riposte qu'il sera bien forcé
d'y croire quand il y sera, car il y ira tout droit et
sera sauvé malgré lui. C'est ce que je crois de tout
mon cœur.

Que c'est triste, ces divisions, dans des ménages
aussi profondément unis que celui de mes parents !
et sur des points où, avec un peu de bonne volonté,
il serait si facile de s'entendre ! En tout cas rien
de pareil à craindre avec Robert, car je ne l'ai
jamais vu entrer dans une église sans y prier et il
n'a que des idées généreuses et nobles. Je ne puis
croire que *La Libre Parole* soit un « mauvais
journal », comme le dit papa, qui, lui, ne lit que
le *Temps* ; et j'ai cru que cela allait se gâter, le
second jour, à la pension Girard, quand Robert et
papa se sont trouvés seuls en face l'un de l'autre
dans le fumoir. La porte du salon était grande
ouverte et je pouvais les voir, chacun dans un

fauteuil avec son journal devant lui. Robert, après
avoir parcouru le sien, a eu l'imprudence de le
tendre à papa en lui disant quelques mots que je
n'ai pu entendre ; mais papa est devenu si furieux
qu'il a renversé sur son pantalon clair la tasse de
café qu'il avait posée sur le bras de son fauteuil.
Robert s'est beaucoup excusé, mais il n'y avait
vraiment pas de sa faute. Et, tandis que papa
s'épongeait avec son mouchoir, Robert, qui m'avait
aperçue dans le salon, a dirigé vers moi une petite
mimique très discrète mais très expressive où il
exprimait ses regrets, si comiquement que je n'ai
pu me retenir de rire et me suis vite détournée
car j'avais l'air de me moquer de papa.

Et voilà que, le sixième jour, papa a eu une crise
de goutte... Oh ! c'est affreux de se réjouir de cela !...
Et naturellement j'avais proposé de rester à la
pension pour lui tenir compagnie et lui faire la
lecture, mais il faisait très beau temps et c'est lui
qui m'a forcée de sortir. Alors j'ai profité de son
absence pour aller voir la chapelle des Espagnols,
parce que lui n'aime pas beaucoup les primitifs.
Et naturellement j'ai retrouvé Robert là-bas et je
n'ai pas su faire autrement que de lui parler. Mais,
après qu'il s'est étonné de me voir seule et enquis
très poliment de la santé de papa, nous n'avons
causé que de peinture. J'étais presque heureuse de
mon ignorance car c'était une occasion pour lui
de tout m'expliquer. Il avait avec lui un gros livre,
mais n'a pas eu besoin de l'ouvrir car il sait par
cœur le nom de tous ces vieux peintres. Je ne parvenais pas à partager aussitôt sa prédilection pour
des fresques qui me paraissaient encore bien infor-

mes, mais je sentais que tout ce qu'il m'en disait
était juste, et mes yeux s'ouvraient à beaucoup de
qualités que je n'aurais pas su apprécier toute
seule. Et ensuite je me suis laissé entraîner par lui
au couvent de Saint-Marc, où il m'a semblé que je
comprenais la peinture pour la première fois.
C'était si merveilleux de se perdre et de s'oublier
dans une admiration commune que, devant la
grande fresque de l'Angelico, sans y songer je lui
ai pris le bras, ce dont je ne me suis aperçue que
lorsque du monde est entré dans la petite chapelle,
où jusqu'à ce moment nous étions demeurés seuls.
D'ailleurs Robert ne disait rien que papa n'aurait
pu entendre ; mais pourtant, à mon retour à la
pension, je n'ai pas osé parler à papa de cette ren-
contre. Sans doute était-ce mal de lui cacher ce qui
me laissait un tel souvenir que je ne pouvais plus
penser à rien d'autre. Mais quand, un peu plus
tard, je me suis accusée devant l'abbé de ce « men-
songe par omission » il m'a plutôt rassurée ; il est
vrai que je lui apprenais en même temps mes
fiançailles. L'abbé sait que papa ne les approuve
pas, mais il sait aussi que ce qui l'empêche de les
approuver ce sont les opinions de Robert, et ce
sont ces opinions précisément qui font que maman
et que l'abbé les approuvent. Papa, du reste, est si
bon qu'il n'a pas su résister longtemps, et, comme
il dit, ce qui lui importe avant tout, c'est que je
sois heureuse ; et il ne peut douter de mon bonheur.

Avant de parler de fiançailles j'aurais dû raconter
les derniers jours en Italie ; mais j'ai laissé courir
ma plume, vite, jusqu'à ce mot merveilleux devant
lequel tous mes autres souvenirs pâlissent. Avant

de quitter Florence, Robert avait demandé à papa
la permission de revenir nous voir à Paris. J'avais
tellement peur que papa ne refuse ! Mais il se
trouve que Robert connaît très bien nos cousins
de Berre, qui nous ont invités à dîner avec lui, ce
qui a beaucoup facilité les choses. Le lendemain
Robert venait présenter ses hommages à maman,
et, quelques jours après, il revenait pour lui demander ma main. (Comme cette locution me paraît
stupide !) Maman a été d'abord un peu surprise,
et je l'ai été bien plus encore lorsqu'elle m'en a
parlé, car Robert ne m'avait pas encore vraiment
fait de déclaration. Il a beaucoup ri quand je lui
ai avoué cela et m'a « déclaré » qu'il n'y avait pas
pensé, mais qu'il était tout prêt à me faire cette
« déclaration » si je n'avais pas encore compris
qu'il m'aimait. Puis il m'a prise dans ses bras et
j'ai senti que moi non plus je n'avais pas besoin
de parler pour qu'il comprît que je me donnais à
lui tout entière.

On vient d'apporter une dépêche. J'ai laissé
maman l'ouvrir, bien qu'elle me fût adressée.
« La mère de Robert est morte », m'a-t-elle dit,
et elle m'a tendu la dépêche où je n'ai vu qu'une
chose, c'est qu'il me revient mercredi.

13 *octobre.*

Une lettre de Robert ! Mais c'est à maman qu'il
écrit ! et je crois qu'elle a été sensible à cette marque de déférence. Je comprends que maman désire

la conserver, cette lettre, car elle est très belle ; et comme je veux pouvoir la relire, je la copie :

MADAME,

Éveline me pardonnera si c'est à vous aujour-d'hui que j'écris plutôt qu'à elle. Je voudrais épar-gner à sa joie le spectacle de ma tristesse, et c'est vers vous que je me tourne pour pleurer. Ce beau nom de *mère*, depuis hier, je ne peux plus le donner qu'à vous seule. Vous permettrez donc sans doute que désormais je reporte sur vous les sentiments respectueux et tendres que j'avais pour celle que je viens de perdre.

Oui, celle qui m'avait donné le jour est morte hier, et je puis dire : entre mes bras. Elle n'a perdu sa connaissance que quelques heures avant sa fin. Elle l'avait encore le matin, lorsqu'elle a reçu les derniers sacrements de la main du prêtre que j'avais fait appeler. Elle envisageait la mort avec calme et ne semblait souffrir que de mon propre chagrin. Sa dernière joie, me disait-elle, a été d'apprendre mes fiançailles et de songer qu'elle ne me laissait pas seul sur la terre. Veuillez le redire à Éveline, et que mon éternel regret sera que maman n'ait pas pu la connaître.

Agréez, mère, je vous prie, l'assurance de mon déjà filial et toujours respectueux dévouement.

ROBERT D.

Mon pauvre ami, je voudrais m'associer à ta tristesse. J'ai tâché d'avoir du chagrin ; mais en

vain. Mon cœur est tout noyé de joie, et tout ce
que je ressens avec toi, même la peine, m'est un
bonheur.

15 *octobre.*

Je l'ai revu. Comme sa douleur est digne et
belle ! Je commence à le comprendre mieux. Je
crois qu'il a horreur des phrases toutes faites, car
il a pour me parler de son deuil la même réserve
qu'il avait pour me déclarer son amour. Et même,
par crainte de laisser paraître son émotion, il évite
tout ce qui pourrait l'attendrir. Il n'a même été
question entre nous que de questions matérielles,
et avec maman que de règlement de succession
et de la vente que Robert veut faire de la propriété
qui lui revient. Il m'est très difficile d'attacher
mon esprit à ces choses et je laisse maman s'en
occuper avec Robert. J'ai compris que nous serions
riches, et je le regrette presque : je voudrais laisser
la fortune à ceux qui ont besoin d'argent pour être
heureux. Mais il ne s'agit pas ici de bonheur.
Robert me dit qu'il aurait toujours assez pour
lui-même et qu'il ne considère l'argent que comme
une arme pour faire triompher ses idées. Il a eu
un long entretien avec l'abbé Bredel, qui dit aussi
qu'on n'a pas le droit de repousser la fortune, mais
qu'avec elle nous incombe le devoir de l'employer
pour le bien.

Pauvre papa ! Tout ceci se passe en dehors de
lui. Chaque fois qu'il voit entrer l'abbé Bredel :

— Désolé !... Absolument forcé de partir... —
dit-il très vite en esquissant un rapide salut.

J'ai toujours peur que l'abbé ne se froisse ; mais il est si bon, si conciliant, qu'il feint de prendre au sérieux cette piètre excuse.

— Monsieur Delaborde est toujours aussi occupé, — dit-il à maman, qui répare de son mieux l'impertinence en redoublant d'amabilité. Et il me semble qu'avec un peu de bonne volonté papa pourrait si bien s'entendre avec l'abbé ! Car il est très bon lui aussi.

— Ma petite enfant, les curés et moi nous n'adorons pas le même Dieu, — me répond-il lorsque je tâche de le convaincre. — N'insiste pas, tu me fâcherais. Ce sont des choses que peut-être tu comprendras plus tard, si tu ne ressembles pas trop à ta maman.

Alors je suis bien forcée de lui dire que « ces choses », je souhaite de ne jamais les comprendre, mais que je ne puis approuver les opinions qui divisent des parents que j'aime également. Ce sont bien aussi ces malheureuses *opinions* qui retiennent papa d'approuver mes fiançailles.

— Mon enfant, — me dit-il, — je ne me reconnais pas le droit de m'opposer à ce mariage et il ne me plaît pas de faire acte d'autorité. Mais ne me demande pas d'approuver une décision que je regrette. Tout ce que je peux faire c'est de souhaiter que tu n'aies pas bientôt à t'en repentir.

19 *octobre.*

Ce matin, j'ai demandé à papa ce qu'il reprochait à Robert. Il m'a longuement regar-

dée et a d'abord serré les lèvres sans rien dire,
puis :

— Mon enfant, je ne lui reproche rien. Simplement, il ne me plaît pas. Si je te disais pourquoi,
tu protesterais, parce que tu l'aimes ; et quand
on aime quelqu'un, on ne le voit plus comme il est.

— Mais c'est parce que Robert est comme il est,
que je l'aime ! — me suis-je écriée.

— Robert donne le change à l'abbé, à ta mère,
à toi, et, je le crains bien, à lui-même aussi, ce qui
est encore plus grave !

— Tu veux dire qu'il ne croit pas ce qu'il dit ?

— Mais si, mais si ; je crois qu'il y croit. C'est
moi qui n'y crois pas.

— D'abord, toi, papa, tu ne crois à rien.

— Que veux-tu ? Je suis ce que ta mère appelle
un sceptique.

Et nous en restons là, car de telles conversations
ne servent qu'à nous attrister tous les deux. Pauvre papa ! Je compte sur Robert pour le convaincre... avec le temps. Il se montre avec papa si
patient, si souple, si adroit... Il a soin d'éviter tous
les sujets de conteste (papa aussi du reste). Il
appelle une conversation avec papa : la danse des
œufs, parce qu'il faut pirouetter habilement parmi
les sujets délicats en tâchant de ne pas les frôler.
Mais comme je voudrais parfois que papa puisse
l'entendre lorsqu'il me parle, lorsqu'il parle quand
papa n'est pas là ! Devant papa, je sens qu'il
s'observe ; mais, dès qu'il se laisse aller, toute sa
personne s'anime et il lui arrive de dire des choses
si belles que je voudrais les écrire aussitôt. Et il
peut être avec cela si spirituel, si drôle... Comme

disait Yvonne de Berre l'autre jour : « On ne peut se lasser de l'entendre ». C'était jeudi dernier ; nous avions déjeuné avec Robert chez nos cousins. Maurice de Berre et papa sont sortis aussitôt après le repas ; alors Robert nous a longuement parlé de Perpignan, des petites rivalités de la vie de province qu'il a si bien pu voir, de tout ce milieu dans lequel il a vécu et où il dit qu'il ne voudrait revivre pour un empire. A l'entendre parler de tous ces gens bizarres qui formaient la société de ses parents, il me donne le regret de ne les avoir pas connus ; mais je comprends que, pour un esprit supérieur comme celui de Robert, une telle compagnie soit étouffante. Par désir d'échapper à cette atmosphère il voulait d'abord entrer dans les ordres, car il est de nature très pieuse ; puis il a compris qu'il pourrait faire plus de bien en se mêlant à la vie active. L'abbé Bredel l'approuve, et je pense avec lui qu'une telle lumière ne doit pas être « mise sous le boisseau », comme il dit en citant l'évangile. Lorsqu'on écoute parler Robert on souhaite irrésistiblement que beaucoup puissent l'entendre. Sur ce point je ne puis être jalouse et le désir d'être seule à jouir de ce trésor me semblerait impie. Le but de ma vie doit être de l'aider de toutes mes forces à se produire.

La semaine prochaine nous devons faire ensemble quelques visites. Je me réjouis de le présenter à nos amis.

26 *octobre.*

Je mène depuis quelques jours une vie si agitée...
J'espérais trouver chaque jour un peu de temps
pour écrire dans ce carnet. Mais ce n'est pas seulement le temps qui me manque. Même aux instants
où je me retrouve seule, je ne parviens plus à ce
recueillement qui permette à mes pensées de se
poser. Un tourbillon m'emporte : visites, courses,
dîners, spectacles, où heureusement Robert ne
craint pas de m'accompagner malgré son deuil car,
comme il dit, les sentiments sincères n'ont que
faire des convenances, et je crois du reste que le
bonheur de se sentir aimé l'emporte sur sa tristesse.
Il m'accompagne chez les fournisseurs et commande
pour moi quantité d'objets dont il cherche à me
persuader que nous aurons le plus grand besoin.
Cela l'amuse tant et sa joie de me gâter est si mani-
feste que je ne cherche pas trop à l'arrêter. Nous
avons choisi ensemble un amour de bague qui, je
dois l'avouer, m'a fait le plus vif plaisir et que je
ne me lasse pas d'admirer. Mais quand il a voulu
me donner aussi un bracelet, j'ai nettement refusé,
malgré ce qu'il a pu me dire pour me pousser à
l'accepter : que l'achat des bijoux ne devait pas
être considéré tant comme une dépense que comme
« un placement » : c'est le mot dont il s'est servi ;
puis il m'a expliqué que les pierres et les métaux
précieux étaient « appelés à augmenter de valeur ».
J'ai protesté que cela m'était parfaitement égal, et
là-dessus nous nous sommes un peu disputés. Sans
doute n'était-il pas très gentil de ma part de lui

dire que ma bague me ferait autant de plaisir,
même si je ne savais pas qu'elle avait coûté très
cher ; alors il s'est écrié :

— Autant avouer qu'on préfère la camelote.

Puis, comme toujours, et c'est ce qu'il y a de si
intéressant avec lui, il a élargi la question et l'a
envisagée au « point de vue général », qui seul lui
importe :

— On imite aujourd'hui les perles si bien que
tout le monde peut s'y tromper, — m'a-t-il expliqué ; — mais les vraies perles représentent une
fortune et les autres n'ont que l'apparence de la
valeur.

Il tient à assister à l'essayage de mes robes parce
qu'il a un goût merveilleux et que cela l'amuse de
discuter avec les couturiers. Mes chapeaux également, nous avons été les choisir ensemble. J'ai
beaucoup de mal à me faire aux formes nouvelles.
Robert trouve qu'elles me coiffent très bien ; mais
quand je me regarde dans la glace je me trouve
méconnaissable. Mais je crois que c'est une affaire
d'habitude et que bientôt, comme il dit, c'est mon
visage de jeune fille que je ne reconnaîtrai plus.
En général je trouve ce qu'il choisit beaucoup trop
beau ; mais je comprends qu'il tienne à ce que je
lui fasse honneur et que déjà je n'ai plus le droit
d'être modeste. L'abbé sait que mon cœur le reste
et me dit que cela seul importe. Chaque jour à
nouveau je m'étonne et je ne cesse pas de me
croire indigne de mon bonheur. Je crains parfois
que Robert ne découvre combien il surfait mes
mérites. Mais peut-être, à force d'amour, parvien-
drai-je à m'élever jusqu'à lui. De tout mon cœur

je le souhaite et je m'y efforce sans cesse. Il m'y
aide si patiemment !

30 octobre.

Robert est stupéfiant, il est en relations avec un
tas de gens célèbres et connaît du monde dans tous
les milieux. Cela lui permet de rendre service à
ceux qui s'adressent à lui ; et, comme on le sait
très obligeant, on ne s'en fait pas faute. Il dit qu'une
grande sagesse dans la vie c'est de ne jamais demander rien qu'on ne soit pas certain d'obtenir. Mais,
comme ceux qu'il a obligés ne lui refusent rien et
qu'il ne demande que des choses justes, il obtient
aisément tout ce qu'il veut. Il a ses entrées partout
et je ne vais avec lui nulle part sans voir aussitôt
des mains se tendre vers lui. Je lui ai demandé de
ne me présenter que ses amis véritables ; mais il
est difficile, dès qu'on le connaît un peu, de ne pas
devenir son ami et, comme il est au courant de tout,
il est capable de parler à n'importe qui de n'importe
quoi comme si c'était spécialement sa partie. A vrai
dire, je ne crois pas qu'il ait d'amis intimes. Je le
lui ai demandé l'autre jour. Il ne m'a pas répondu
directement mais m'a dit, en me pressant tendrement contre lui : — L'amitié, c'est l'antichambre
de l'amour.

Et, en effet, il me paraît aujourd'hui que cette
grande amitié que j'avais hier encore pour Rosita
et pour Yvonne n'était que provisoire et que mon
premier véritable ami, c'est Robert.

Il veut faire à papa la surprise de le faire décorer.

Comme il connaît très bien le chef de cabinet du ministre de l'Instruction publique, il affirme que cela lui sera très facile. Papa ne refusera certainement pas, et je crois qu'au fond cela lui fera grand plaisir. Je trouve très joli que Robert songe à papa et ne demande pas la croix pour lui-même, mais il n'y attache pas d'importance et sait qu'il l'aura quand il voudra. En l'écoutant causer avec les gens remarquables auxquels il me présente je prends conscience de mon ignorance ; j'ose à peine me mêler à la conversation tant j'ai peur de lui faire honte. Je lui ai demandé de m'écrire une liste des livres que je devrais connaître et, sitôt que j'aurai un peu de temps... Mais quand sera-ce ? Nous avons décidé de nous marier à la fin de janvier. Cela me semble terriblement loin, et pourtant les jours fuient avec une rapidité confondante. Sitôt après le mariage nous devons partir pour la Tunisie. Ce ne sera pas seulement un voyage d'agrément. Robert a là-bas des intérêts dans une entreprise agricole, qu'il veut surveiller. Il dit qu'il n'y a pas de plus grand plaisir que celui dont on peut tirer parti. Son esprit ne reste jamais inactif. Il s'instruit sans cesse et sait tourner tout à profit.

La grande question qui nous préoccupe, c'est celle du logement. Nous avons visité un grand nombre d'appartements, mais à chacun d'eux, maman, Robert ou moi, nous trouvons quelque chose à redire. Je crois que nous allons nous entendre avec un architecte que Robert connaît très bien. Il achève de faire construire un immeuble très bien situé, dans le quartier de la Muette, avec vue sur de grands jardins. Nous serions propriétaires du dernier étage, ce qui nous permettrait de l'aménager à notre guise. Nous passons ensemble des heures à discuter les plans et rien n'est plus amusant. Robert qui, tant que sa mère vivait, n'était pas bien riche, se contentait depuis trois ans d'un petit rez-de-chaussée avenue d'Antin où il se trouvait de plus en plus à l'étroit. Il devait prendre ses repas au restaurant, ce qui lui faisait perdre beaucoup de temps et fatiguait son estomac. J'ai demandé à voir son installation, qu'il était, je crois, un peu confus de me montrer. Pourtant je me suis étonnée de ne pas y trouver plus de désordre. Tous ses papiers se trouvent classés dans des chemises ou des dossiers et il a inventé un extraordinaire système de fiches qui lui permet d'avoir tout de suite, sur n'importe qui, tous les renseignements dont il a besoin. C'est comme cela qu'il peut si facilement rendre service. Il trouve que les gens, en général, manquent de méthode et que les rouages de la société sont, comme il dit, mal ajustés. Il aime à citer le vers de La Fontaine : « C'est le fonds qui manque le moins », et soutient que l'important c'est de mettre en valeur ce que l'on a. Je crois que cela est vrai surtout pour ceux qui sont aussi bien doués que lui ; mais, quand je lui dis que mon fonds à moi ne vaut pas grand'chose, il proteste et m'affirme gentiment que bien des femmes qui tiennent salon et brillent dans le monde sont moins intelligentes que moi. Il a l'air sincère lorsqu'il dit cela et je crains décidément qu'il ne se fasse de grandes illusions sur sa future épouse. Puisse-t-il du moins les conserver longtemps ! Quoi qu'il en soit, je veux travailler à me cultiver le plus possible, aussitôt que j'aurai un peu de temps, et m'efforcer de devenir chaque jour un peu moins indigne de lui.

Je m'inquiétais de savoir s'il avait pu se réserver du temps pour tenir de son côté son journal comme nous nous l'étions promis, et lui ai demandé de me le montrer ; oh ! pas de me le donner à lire ; mais j'aurais voulu le voir, simplement. A vrai dire je craignais qu'il ne le laissât traîner. Mais il m'a rassurée. Le tiroir où il l'enferme est toujours soigneusement fermé à clef. Il m'a montré le tiroir mais a refusé d'en sortir le journal, même après que je lui eus promis de ne pas l'ouvrir.

                                        3 *novembre.*

Hier nous avons eu à dîner le peintre Bourg-weilsdorf. En dépit de ce nom affreux que je ne sais si j'écris correctement, ce n'est ni un Allemand ni un Juif mais un pauvre brave garçon très estimable que Robert a beaucoup secouru et qui encombre le petit rez-de-chaussée de l'avenue d'Antin d'un tas de toiles invendables que Robert lui achète par charité pour l'aider sans froisser son orgueil. J'ai dit à Robert que je le trouvais bien imprudent d'encourager ainsi un raté qu'il vaudrait mieux pousser à faire n'importe quoi plutôt que de la peinture ; mais il paraît que le pauvre garçon est incapable de rien d'autre et que, de plus, il se croit très bien doué. Robert, du reste, s'obstine à lui reconnaître « un certain talent » et nous nous sommes un peu disputés à ce sujet, car enfin il suffit de voir n'importe laquelle de ces croûtes pour comprendre que Bourgweilsdorf ne sait pas son métier et qu'il n'a même aucune idée de ce que doit être la peinture. Mais Robert cite alors quantité d'artistes qui sont devenus célèbres et qu'on traitait d'abord de barbouilleurs. Et, comme il se fâchait un peu parce que je ne parvenais sincèrement pas à trouver bien ce qu'il me montrait :

— D'ailleurs persuade-toi que, s'il n'avait pas de valeur, je ne m'attacherais pas à lui, — a-t-il ajouté péremptoirement.

(N'empêche que Robert n'ose pas accrocher aux murs ces horreurs. Il les entasse dans une grande armoire, où je les ai découvertes, car il m'avait autorisée à fureter partout chez lui.) Le ton de Robert était si cassant (c'est la première fois qu'il me parlait ainsi) que les larmes me sont venues aux yeux. Il l'a vu, est redevenu aussitôt très tendre, m'a embrassée et m'a dit :

— Écoute. Veux-tu que je te le fasse connaître ? Tu jugeras s'il est aussi bête que tu crois.

J'ai accepté ; et c'est comme cela que nous l'avons invité.

Eh bien ! je fais ici mes excuses à Robert : Bourgweilsdorf m'a paru presque charmant. Je dis « presque » parce que, malgré tout, quelque chose me choque en lui : c'est son peu de reconnaissance, pour ne pas dire : son ingratitude, envers Robert. Bourgweilsdorf semble oublier par trop ce qu'il lui doit, et même manquer un peu de déférence. Je sais bien que, dans sa bouche, cela ne tire pas à conséquence et que la cordialité de son ton réparait la brutalité des propos ; mais plus d'une fois je l'ai

entendu s'écrier, coupant la parole à Robert :
« Mon vieux, ça ne tient pas debout ce que tu dis
là », devant une remarque des plus sensées, qu'il
n'avait pas même écoutée. Par contre, il approuvait tout ce que disait papa, avec une insincérité
si courtoise et si souriante qu'elle donnait presque
le change et que papa, somme toute, était ravi. Je
m'attendais à un bohème ; mais c'est un monsieur
fort bien mis, assez élégant même, de bonnes manières et soigneux de sa personne. Certainement il
est intelligent. Il raconte à ravir un tas d'histoires
très amusantes, et sa conversation serait des plus
agréables si seulement il n'aimait pas un peu trop
les paradoxes. L'on n'est jamais sûr qu'il ne se
moque pas un peu de vous, comme, par exemple,
quand il dit que Raphaël et Poussin sont ses deux
peintres préférés, ce que sa propre peinture ne
laisse vraiment guère entendre. Somme toute, ça
a été une excellente soirée et je crois que je reverrai
ce brave Bourg avec plaisir. Mais de là à lui com-
mander mon portrait comme a fait brusquement
Robert... Ni lui, ni moi, nous ne nous y attendions,
de sorte que nous ne savions que dire et que ça a
été extrêmement gauche. Je trouve que Robert
aurait bien pu me consulter d'abord. Je lui aurais
dit que, d'ici à notre mariage, je ne trouverais que
difficilement le temps de poser et qu'il faudrait
remettre « ce plaisir » au retour de notre voyage
de noces. C'est ce que j'ai répondu à Bourgweilsdorf lorsque, poussé par Robert, il voulait déjà
prendre rendez-vous pour la première séance. Il
affirme qu'il lui suffirait de trois ou quatre ; qu'il
prendrait des notes et établirait le portrait de

mémoire pendant notre absence, de manière qu'il
n'ait plus que quelques retouches à y faire, à notre
retour, pour l'achever. A vrai dire, quand je me
souviens des horreurs qu'il peut faire, je me soucie
fort peu d'être portraicturée par lui. Nous avons
pourtant pris jour pour visiter son atelier.

7 novembre.

Des courses, des réceptions, des visites. Je n'ai
plus le temps d'écrire mon journal ; plus le temps
de lire, de me recueillir ; plus le temps de me sentir
heureuse. Et ce qui m'attriste le plus, c'est que
tout cela travaille à me rendre affreusement
égoïste. Il n'est question chaque jour que de *mon*
plaisir, de *ma* toilette, de *ma* convenance et de *mes*
goûts. Comme si je pouvais avoir désormais d'autre
convenance et d'autres goûts que ceux de Robert !
Même pour les meubles de mon petit salon, ce qui
me plaît c'est que ce soit lui qui les choisisse. Il
m'a fait cadeau d'un petit secrétaire exquis où je
pourrai serrer ses lettres et mon journal. Le mar-
chand doit le garder jusqu'à ce que nous soyons
installés. Il me tarde déjà de me sentir chez nous
et de pouvoir un peu me reprendre. Ces journées
de dissipation me semblent si vides... et même il
me semble que, Robert aussi, je le perds de vue,
comme moi-même, car, si je ne le quitte guère, je
ne suis presque jamais seule avec lui ; il faut sourire à chacun, répondre à des questions stupides,
exposer sa joie, jouer une espèce de comédie de
bonheur, et cette préoccupation constante de

paraître heureuse m'empêcherait presque de l'être,
si je prenais un instant cette parade au sérieux.
Je m'étonne de cet air convaincu, pénétré, que les
plus indifférents peuvent affecter pour protester
de leur sympathie ; il me faut me prêter à ce jeu,
paraître « charmée d'avoir fait la connaissance »
de gens parfaitement insignifiants ou désagréables.

12 novembre.

J'ai beaucoup vu Yvonne ces derniers temps.
Je sens, en causant avec elle, combien facilement
devient égoïste le bonheur. Ce qui m'abuse, c'est
que je songe à Robert plus qu'à moi-même. Mais
en pensant à lui je cède au penchant de mon cœur.
Il ne s'agit pas sans doute de l'aimer moins, mais
de ne pas limiter à lui mon amour. Je n'avais de
regards que pour lui et ne me suis aperçue que
jeudi dernier de la mauvaise mine d'Yvonne. Mes
yeux se sont ouverts tout à coup, ou plutôt le nuage
éblouissant dans lequel je vivais s'est déchiré ; elle
m'a paru si changée que j'ai pris peur, l'ai pressée
de questions et ai fini par la faire avouer la cause
de son affreuse tristesse. Le jeune homme que je
savais qu'elle aimait, et avec qui elle était déjà
presque fiancée, la trompe, elle vient de le découvrir,… et vit avec une autre femme…

— Pourquoi ne m'as-tu pas parlé plus tôt ? —
lui ai-je demandé.

— Je craignais de troubler ta joie.

Et j'ai pris honte aussitôt de cette joie, qui m'est
apparue comme une propriété privée avec un

« *défense d'entrer* » cruel. Non, non, je ne veux pas
d'un *impitoyable* bonheur. Yvonne, qui souffrait
de ne plus sentir mon amitié, a besoin d'être secou-
rue. Elle craint de ne pouvoir cesser d'aimer celui
qui ne mérite plus son amour, et cherche une occupation qui lui permette d'oublier un peu sa tristesse.
Elle voudrait prendre un emploi dans un hôpital,
ce qui me paraît une excellente idée, au moins
provisoirement. Tout en gardant le secret, comme
je le lui ai promis, sur les causes de cette détermi-
nation, je vais tâcher d'y intéresser Robert, qui se
montre très attentionné pour Yvonne, et qui
connaît très bien le médecin en chef de Laënnec.
Il peut lui recommander Yvonne en toute confiance
car je ne doute pas que, dévouée comme elle est,
et intelligente, et habile, elle ne puisse rendre de
grands services.

14 novembre.

Que Robert est gentil ! Je ne lui ai pas plus tôt
fait part du désir d'Yvonne qu'il a téléphoné au
docteur Marchant et pris rendez-vous pour dîner
avec lui demain soir. Il l'invite à la *Tour d'Argent*
dont la cuisine est réputée.

— On ne saura jamais tout ce qu'obtient un
bon repas, — m'a-t-il dit en riant.

Il affirme que ma présence à ce dîner ne sera pas
inutile et a décidé papa à me permettre de l'accompagner. Je m'en réjouis beaucoup car tout ce que
je fais avec Robert m'amuse et cela me prouve
que papa commence à envisager ce mariage d'un

moins mauvais œil ; puis, il ne m'est encore presque
jamais arrivé de manger au restaurant ; et si, de
plus, cela peut être profitable à Yvonne... Robert
dit que le docteur Marchant est assez revêche mais
extrêmement sensible à la bonne chère ; aussi se
propose-t-il de soigner le menu.

Je crains souvent de mécontenter Robert en
employant dans la conversation certaines expres-
sions ou tournures de phrases qu'il me dit ne pas
être correctes et dont j'ai pris l'habitude en les
entendant sans cesse autour de moi. Quand nous
sommes seuls, Robert me reprend et me corrige.
Mais, dans le monde, il m'arrive souvent de me
taire par peur de voir soudain sur son visage une
petite marque d'agacement, que du reste je suis
seule à pouvoir distinguer, mais qui me fait comprendre aussitôt que je ne me suis pas exprimée
comme il fallait. Il faudra pourtant que, avec le
docteur Marchant, je me décide à parler ; et je
tremble un peu d'avance. Je me connais : à me
trop observer, je risque de perdre toute aisance,
tout naturel. J'ai supplié Robert de ne pas trop
me regarder pendant le dîner. Je lis dans son
regard tout ce qu'il pense, et la moindre ombre de
réprobation que j'y verrais me démonterait. Ainsi
rien ne l'irrite autant que l'emploi de « très » devant
des mots qui, comme il dit très justement, ne com-
portent pas le comparatif (ou le superlatif, je ne
sais plus bien). Avant qu'il ne me l'ait fait remarquer je disais couramment : « J'ai très faim », ou
« j'ai très sommeil », ou « j'ai très peur ».

— Pourquoi pas tout de suite : « j'ai très courage », ou : « j'ai très migraine » ? — m'a-t-il dit.

Je crois comprendre la nuance, à laquelle j'avoue
que je n'avais jamais songé ; mais maintenant, par
crainte de me tromper, je n'ose presque plus employer le mot « très ». On n'a pas toujours le temps
de réfléchir si le mot qui va suivre est un substantif, un adjectif ou un adverbe... Et, du reste, je
trouve que Robert va un peu loin. Par exemple il
ne veut pas que je dise non plus que je l'ai « très
fâché » ; et pourtant « fâché » n'est pas un substantif.
Il a voulu m'expliquer que ce n'était pas un adjectif
non plus ; mais je crois qu'il s'est un peu embrouillé
car, après m'avoir dit : « Tu vas tout de suite comprendre... », il a remis brusquement à plus tard
cette petite leçon. Je veux pourtant arriver à tout
à fait bien comprendre ces règles et à prendre
l'habitude de les appliquer, puisque Robert estime
que ce devrait être surtout le rôle des femmes de
maintenir la pureté de la langue, parce qu'elles
sont en général plus conservatrices que les hommes,
et qu'en négligeant leur parler elles manquent à
un de leurs devoirs.

16 *novembre.*

« Mazette ! » s'est écrié papa, qui se sert volontiers de ce mot en guise de petit juron familier ;
« vous ne vous refusez rien ! » quand il a su que
c'était à la *Tour d'Argent* que nous avions dîné.
Il m'a dit n'y avoir jamais été lui-même mais
savoir que c'est le vrai restaurant des gourmets.
Et il a fallu que je lui « raconte le menu » par le
détail. Le repas était excellent ; les vins merveil-

leux, pour autant que j'en ai pu juger par les sourires que faisaient Robert et notre hôte en les
dégustant, car moi je n'y connais pas grand'chose.
Mais quel homme odieux que ce docteur Marchant !

— La peste soit des demoiselles désœuvrées ! —
s'est-il écrié aux premiers mots que Robert lui a
dits d'Yvonne.

C'était presque à la fin du repas et quand Robert
a jugé que notre convive était « mûr ». Puis, avec
un air bougon qui accentuait encore la grossièreté
de ses propos :

— Ce n'est du reste pas la première qui se propose ainsi. J'ai toujours refusé froidement ces
offres de service. Les sœurs de charité, ça je ne dis
pas : ce ne sont plus des femmes, paraît-il. Mais
les jeunes filles du monde... Esculape nous en pré-
serve ! Dites-lui donc de ma part, à votre amie, de
se marier, tout simplement. C'est ce qu'une femme
peut faire de mieux, je vous assure. Et j'ai plaisir
à dire cela devant vous, mademoiselle, — a-t-il
ajouté en se tournant vers moi et en grimaçant un
sourire — puisque je vois que vous le pensez aussi.

— Mon amie a de bonnes raisons pour ne pas
m'imiter, — ai-je hasardé, en m'armant de tout
mon courage et sentant que l'avenir d'Yvonne
était en jeu. Mais mon courage a battu en retraite
devant son air gouailleur et son :

— Ah ! vraiment... ? — dit en levant très haut
les sourcils d'une manière interrogative.

J'étais sur le point de protester que chaque
femme ne pouvait pas espérer le bonheur de rencontrer un Robert ; mais j'ai dit platement que
tous les mariages n'étaient pas heureux. A quoi

Marchant a riposté tout aussitôt que si le mariage
n'était pas toujours bon, le célibat, par contre,
était toujours mauvais... « pour les femmes du
moins », a-t-il ajouté en ricanant, vite, avant que
je n'aie eu le temps de lui demander pourquoi,
dans ce cas, il était demeuré garçon. Puis, voyant
sans doute qu'il avait été trop loin, il a repris sur
un ton plus conciliant :

— Voyons, mademoiselle, entre nous... c'est
vrai qu'elle souhaite tellement entrer à mon service, votre amie ?

— Je sais qu'elle en a *très* envie, — ai-je dit
imprudemment ; et tout aussitôt j'ai senti se fixer
sur moi le regard de Robert et me suis aperçue de
ma faute de français, de sorte que je n'ai plus osé
rien ajouter, ce qui a permis au docteur Marchant
de continuer :

— Et les arts d'agrément ? A quoi servent-ils,
les arts d'agrément ? Pourquoi les a-t-on inventés,
sinon pour occuper les oisives ? Conseillez donc à
votre amie la tapisserie, ou l'aquarelle, puisqu'elle
se refuse à nous faire des enfants comme ce serait
son devoir, mais comme nous ne pouvons pas
décemment l'y forcer.

Sans doute ai-je laissé voir combien ces propos
me révoltaient car il a bientôt détourné la conversation, après avoir déclaré péremptoirement :

— Du reste, quand bien même je voudrais
l'occuper, votre amie, je ne trouverais rien à lui
donner à faire. Nous n'avons déjà que trop d'em-
ployés de service, et je ne puis supporter auprès
de moi les gens qui restent à me regarder, les bras
croisés.

Robert en a donc été pour ses frais. C'est ce qu'il
appelle : « être refait ». On pouvait juger à sa mine
combien cela lui était désagréable et j'en étais
très touchée, car ce n'est que par amour pour moi
qu'il s'intéressait à Yvonne et avait fait ces avan‹
ces. Je ne lui ai pas caché mon opinion sur le
docteur Marchant. C'est peut-être un grand savant,
comme Robert l'affirme, mais c'est un rustre et je
préfère ne plus le rencontrer, malgré le « je ne le
tiens pas pour quitte » que Robert répétait en me
reconduisant après dîner.

Si encore Yvonne attendait une rémunération
de ses services ! Mais elle a de quoi vivre et son
offre est toute désintéressée. Comment aurai-je le
cœur de lui apprendre que cette offre est repoussée,
que l'on n'a que faire de son dévouement...

Être inutile ; se savoir, se sentir inutile... Sentir
en soi tout ce qu'il faut pour aider, pour secourir,
pour répandre autour de soi de la joie, et n'en
trouver pas le moyen !

« On n'a pas besoin de vous, mademoiselle. »

C'est atroce, et je plains Yvonne de tout mon
cœur. Je remercie Dieu plus encore de m'avoir
épargné ces déboires, et Robert de m'avoir choisie.
Mais de songer que tant de femmes, qui n'ont pas
mon bonheur, se voient refuser le droit de prendre
part à la vie, que leur raison d'être sur terre et de
mettre en valeur les vertus et les dons qu'elles ont
en elles, que tout cela soit subordonné au plus ou
moins bon vouloir d'un Monsieur, cela m'indigne.
Et je prends ici l'engagement, si j'ai une fille, de
ne lui apprendre aucun de ces petits arts d'agré-

ment dont parlait avec tant d'ironique mépris le
docteur Marchant, mais de lui faire donner une
instruction sérieuse qui lui permette de se passer
des acquiescements arbitraires, des complaisances
et des faveurs.

Je sais bien que tout ce que j'écris ici est absurde ;
mais le sentiment qui me dicte ces phrases ne l'est
pas. Je trouve tout naturel, en épousant Robert,
de renoncer à mon indépendance (j'ai fait acte
d'indépendance en l'épousant malgré papa), mais
chaque femme devrait pour le moins rester libre
de choisir la servitude qui lui convient.

                                    17 *novembre.*

Robert s'occupe à réunir des capitaux pour fon-
der un journal littéraire dont il prendrait la direc-
tion politique. Le journal ne commencerait à paraître qu'à notre retour de Tunisie, c'est-à-dire qu'au
printemps prochain ; mais il est bon de tout préparer avant notre départ, qui aura lieu sitôt après
notre mariage, c'est-à-dire... bientôt. Les soins
qu'il me prodigue ne nuisent pas à son activité,
Dieu merci. Je l'aimerais moins si je devais être
le but unique de sa vie. Je suis là pour l'aider et
non pour le détourner de sa carrière. C'est au delà
de moi qu'il doit diriger ses regards.

                                    19 *novembre.*

Chaque jour m'apporte une nouvelle joie. Quelle
ne fut pas ma surprise, ce matin, lorsque Robert

me montra la lettre du docteur Marchant qu'il
venait de recevoir. Oublieux de tout ce qu'il nous
avait dit l'autre soir, ou peut-être en ayant pris
honte, il demande qu'Yvonne vienne le voir à
l'hôpital, désireux d'examiner avec elle, dit-il, ce
qu'il pourra faire d'elle, ou pour elle...

Je n'avais pas encore revu Yvonne et n'aurai
donc pas à lui parler de la fâcheuse impression que
j'avais eue d'abord, mais seulement de l'heureux
résultat final.

22 novembre.

J'ai eu ce matin une grande faiblesse. Mais
comment refuser rien à Robert ? J'étais dans le
petit salon, et, comme je n'attendais pas si tôt sa
visite, j'avais sorti mon journal et m'apprêtais à y
raconter notre soirée d'hier aux ballets russes,
lorsqu'il est entré tout à coup et m'a demandé à
voir ce que j'écrivais. J'ai répondu en riant qu'il
ne le verrait qu'après ma mort, selon la promesse
que nous nous étions faite. Il m'a dit, en riant
aussi, que, dans ce cas, il risquait de ne le voir
jamais, car il était naturel que je lui survive ; qu'au
surplus il n'avait jamais pris cet engagement au
sérieux et m'en tenait quitte ; que d'autre part
nous nous étions promis de ne rien nous cacher ;
que, de toute façon, son désir de lire mon journal
était si vif qu'il risquait, si je ne le satisfaisais pas
aussitôt, de gâter son bonheur... Bref, il s'est montré si pressant, si obstiné, si tendre, que j'ai cédé,
tout en demandant alors la réciproque, qu'il m'a

volontiers accordée. Et j'ai quitté la pièce pour le
laisser lire à son aise.

Mais, à présent, le charme est rompu ; et c'est
bien ce que je craignais. Si j'écris encore ces lignes,
c'est seulement pour expliquer pourquoi ce sont
les dernières. Évidemment c'est pour lui que je
l'écrivais, ce journal ; mais je ne pourrais plus y
parler de lui comme je faisais, ne serait-ce que par
pudeur. Il n'a plus, à présent, qu'à lire également
ces lignes, que je ne cherche plus à lui cacher.

Non, je ne l'aime pas moins ; mais il ne le saura
plus que tout de suite. (Cette phrase ne veut peut-
être rien dire, mais elle est venue naturellement
sous ma plume.)

                                    23 *novembre.*

Hélas ! il me faut encore ajouter ce post-scriptum.

Robert vient de me faire beaucoup de peine.
C'est le premier chagrin que je lui dois, et il m'est
pénible de l'écrire ici, car j'espérais que ce cahier
n'aurait à contenir que l'expression de ma joie.
Mais il faut que je l'écrive ici tout de même ; et
ceci que j'écris, je souhaite qu'il le lise, car, lorsque
je le lui disais tantôt, il refusait de prendre au
sérieux mes paroles.

J'étais allée chez lui, pensant qu'il me montre-
rait à son tour son journal, comme hier il me l'avait
promis avant que je ne lui donne à lire le mien. Et
voici qu'il m'avoue que ce journal n'existe pas,
qu'il n'en a jamais écrit une ligne, qu'il ne m'a
laissée croire si longtemps qu'il l'écrivait que pour

m'encourager à continuer le mien. Il m'avoue tout
cela en riant et s'étonne, puis s'irrite, parce que
je n'en ris pas à mon tour et ne m'amuse pas avec
lui de sa ruse. Et comme au contraire je m'en
attriste et lui reproche, non de ne pas avoir écrit
ce journal, car je comprends qu'il n'ait pas eu le
temps ni le désir de le faire, mais bien de m'avoir
laissée croire qu'il l'écrivait, de m'avoir dupée, le
voici qui me reproche d'avoir mauvais caractère,
de grossir ce qui n'a en soi aucune importance, sans
vouloir comprendre que ce qui m'attriste précisément, c'est que ce qui a tant d'importance pour
moi en ait pour lui si peu, et qu'il traite si légèrement ce qu'il voit qui me tient à cœur. Bientôt ce
n'est plus lui qui a tort de n'avoir pas tenu sa
parole, mais moi qui ai tort de m'en plaindre. Et
pourtant je n'ai aucun plaisir à avoir raison contre
lui ; j'aimerais pouvoir lui donner raison ; mais
j'aurais voulu que du moins il marquât un peu de
regret de m'avoir causé tant de peine.

En me plaignant ainsi, je me parais ingrate et
je lui en demande pardon. Mais décidément j'arrête
ici ce journal qui n'a vraiment plus raison d'être.

DEUXIÈME PARTIE

VINGT ANS APRÈS

Arcachon, 2 juillet 1914.

J'ai pris avec moi ce cahier comme on emporte un ouvrage de broderie, pour occuper le désœuvrement d'une cure. Mais, si je recommence à y écrire, ce n'est hélas plus pour Robert. Il croit désormais connaître tout ce que je peux sentir ou penser. J'écrirai afin de m'aider à mettre un peu d'ordre dans ma pensée ; afin de tâcher d'y voir clair en moi-même, considérant, comme l'Émilie de Corneille

Et ce que je hasarde et ce que je poursuis.

Quand j'étais jeune, je ne savais voir dans ces vers que de la redondance ; ils me paraissaient ridicules, comme souvent ce que l'on ne comprend pas bien ; comme ils paraissent ridicules et redondants aujourd'hui à mon fils et à ma fille, à qui je les ai fait apprendre. Sans doute faut-il avoir un peu vécu pour comprendre que tout ce que l'on *poursuit* dans la vie, l'on ne peut espérer l'atteindre qu'en *hasardant* précisément ce qui parfois vous

tient à cœur. Ce que je poursuis aujourd'hui, c'est
ma délivrance ; ce que je hasarde, c'est l'estime du
monde, et celle de mes deux enfants. L'estime du
monde, je m'efforce de me persuader que je n'y
tiens guère. L'estime de mes enfants me tient à
cœur plus que tout ; en écrivant ceci, je le sens
mieux que jamais. Au point que j'en viens à me
demander si ce n'est pas surtout pour eux que
j'écris ces lignes. Je voudrais que, plus tard, s'il
leur arrive de les lire, ils y trouvent une justification
ou du moins une explication, de ma conduite, que
sans doute on leur apprendra à juger d'un œil
sévère, à condamner.

Oui, je sais, et je me répète sans cesse, qu'en
quittant Robert je vais me donner en apparence
tous les torts. Sans connaître rien aux lois, je puis
craindre que mon refus de continuer à vivre sous
le même toit que lui n'entraîne la déchéance de
mes droits maternels. L'avocat que je veux consulter dès mon retour à Paris m'indiquera les moyens
d'éviter cela, qui me serait intolérable. Je ne puis
consentir à ne plus avoir mes enfants. Mais je ne
puis davantage consentir à vivre plus longtemps
avec Robert. Le seul moyen pour moi de ne pas
en venir à le haïr c'est de ne plus le voir. Oh ! de
ne plus l'entendre surtout... En écrivant ceci je
sens bien que je le déteste déjà ; et, si odieuses que
me paraissent à moi-même ces paroles, il me semble
que c'est par besoin de les écrire que j'ai rouvert
ce cahier. Car ceci je ne puis le dire à personne. Je
me souviens du temps où Yvonne n'osait point me
parler, par crainte d'assombrir mon bonheur. A
présent c'est à moi de me taire. Au reste, me com-

prendrait-elle ?... Son mari plutôt, lui qui d'abord
m'avait paru si égoïste, si vulgaire, et que je sais
à présent plein de cœur. J'ai parfois surpris, chez
cet homme vraiment supérieur, un indéfinissable
ton de mépris en face de Robert ; comme, par
exemple, lorsque Robert, rapportant un dialogue
où naturellement il se donnait le beau rôle, après
avoir cité complaisamment ses propres paroles, a
ajouté :

— C'est ce que j'ai cru devoir lui dire.

— Et lui, qu'a-t-il cru devoir te répondre ? —
a demandé le docteur Marchant.

Robert, un instant, a paru quelque peu désar-
çonné. Il sent que Marchant le juge, et cela lui est
très désagréable. Je crois que c'est par égard pour
moi que Marchant retient sa moquerie, car je l'ai
vu parfois prodigieusement mordant à l'égard de
certaines suffisances qu'il ne pouvait se retenir de
dégonfler. Il n'est certainement pas dupe des
phrases sonores de Robert. Il m'est même arrivé
de penser que, sans son affection pour moi, il aurait
depuis longtemps cessé de le fréquenter. Et ce soir-
là j'ai été comme soulagée de comprendre que je
n'étais pas seule à être exaspérée par cette habitude
qu'a prise Robert de toujours dire qu'il a « cru
devoir faire » tout ce que, simplement, il a fait
parce qu'il en avait envie, ou bien, plus souvent
encore, parce qu'il lui paraissait opportun d'agir
ainsi. Ces derniers temps, il perfectionne ; il dit :
« J'ai cru de mon devoir de... » comme s'il n'agissait
plus que mû par de hautes considérations morales.
Il a une façon de parler du devoir, qui me ferait
prendre tout « devoir » en horreur ; de se servir de

la religion, qui rendrait toute religion suspecte, et
de jouer des beaux sentiments, à vous en dégoûter
à jamais.

                                        3 juillet.

   J'ai dû m'interrompre pour mener Gustave au
docteur. Dieu soit loué ! Je suis sortie de la consultation très rassurée. Marchant nous avait alarmés,
de sorte qu'heureusement nous avons pris le mal
à temps. Le docteur d'ici, qui suit Gustave de très
près, affirme même que, bientôt, nous n'aurons à
craindre aucune rechute. Il estime que, sitôt après
les vacances, Gustave pourra rentrer au lycée,
de sorte que cette alerte ne causera pas de retard
dans ses études.
   Je reste peu satisfaite de ce que j'écrivais hier.
J'ai laissé courir ma plume, il me semble, par un
besoin de récrimination qui peut paraître bien
vain tant que je ne me serai pas mieux expliquée.
Chacun de nous a des défauts, et je sais que l'har-
monie ne peut être maintenue dans un ménage sans
indulgence et sans menues concessions mutuelles.
D'où vient que les défauts de Robert me sont devenus à ce point insupportables ? Est-ce donc parce
que cela même qui m'exaspère aujourd'hui était
ce à quoi précisément je me laissais prendre ? qui
me charmait, me paraissait le plus louable ?... Oh !
je suis bien forcée de le reconnaître : ce n'est pas
lui qui a changé ; c'est moi. C'est le jugement que
je porte. De sorte que même mes souvenirs les plus
heureux s'y abîment. Ah ! de quel ciel je suis tom-

bée ! Pour m'expliquer ce changement, j'ai relu
ce que j'écrivais dans ce même cahier, il y a vingt
ans. Que j'ai de mal à me reconnaître dans la can-
dide, confiante et un peu niaise enfant que j'étais !
Les phrases de Robert que je citais, qui m'emplissaient de joie et d'amoureux orgueil, je les entends
encore, mais les interprète différemment. Cette
défiance dont je souffre aujourd'hui, je cherche à
m'en retracer l'histoire. Je crois bien qu'elle a commencé de naître certain jour, peu après notre
mariage, où j'entendis Robert, lorsque mon père
s'extasiait sur le système de classement de ses
fiches, et lui demandait :

— Alors c'est vous qui avez trouvé cela ? —
répondre, et de quel ton indéfinissable, à la fois
supérieur et modeste, profond et dégagé :

— Oui... en cherchant, j'ai trouvé.

Oh ! ce n'était là presque rien, et à ce moment
je n'y ai pas attaché d'importance. Mais, comme
je venais d'apprendre, en allant régler une facture
chez un papetier de la rue du Bac, que ce classeur
perfectionné sortait de son magasin, j'ai trouvé
peut-être inutile cet air inspiré, presque douloureux, cet air d'inventeur, que Robert prenait, qu'il
« croyait devoir prendre », pour proférer ces mots :
« J'ai trouvé. » — Oui, oui ; c'est entendu, mon ami ;
tu as trouvé ce classeur rue du Bac ; pourquoi dire :
« En cherchant ? » Ou alors, il faudrait ajouter :
« En cherchant les enveloppes que j'avais comman-
dées... » Il me parut, dans un éclair, qu'un savant,
après une vraie découverte, ne s'aviserait jamais de
dire : « En cherchant, j'ai trouvé », car alors il irait
de soi ; et que ces mots, dans la bouche de Robert,

ne servaient qu'à dissimuler qu'il n'avait rien
inventé lui-même. Mon cher papa n'y a vu que du
feu, et moi-même, tout ce que j'en écris aujour-
d'hui ne m'est apparu nettement que plus tard.
J'ai simplement senti, instinctivement, qu'il y
avait là quelque chose d'indéfinissable, qui sonnait
faux. Du reste, Robert ne disait pas ces mots dans
l'intention de tromper papa. Cette petite phrase
lui avait échappé, tout inconsciemment ; mais
c'est bien pour cela qu'elle était si révélatrice.
Ce n'était point papa qu'il dupait, c'était lui-
même.

Car Robert n'est pas un hypocrite. Les sentiments qu'il exprime, il s'imagine réellement les
avoir. Et même je crois qu'en fin de compte il les
éprouve, et qu'ils répondent à son appel, les plus
beaux, les plus généreux, les plus nobles, toujours
exactement ceux qu'il convient d'avoir, ceux qu'il
est avantageux d'avoir.

Je doute que beaucoup de gens s'y puissent
laisser prendre ; mais ils font tout comme. Une
sorte de convention s'établit, et l'on n'est peut-
être pas tant dupe que l'on ne fait semblant de
l'être, pour plus de commodité. Papa qui d'abord
semblait y voir clair alors que j'étais le plus
éblouie, et dont l'opinion sur Robert m'attristait
tant durant mes fiançailles, papa semble complètement retourné. Dans chacune de mes discussions
avec Robert, c'est toujours à moi qu'il donne tort.
Il est si bon et si faible ! Robert si habile !... Quant
à maman... Certains jours je me sens affreusement
seule ; je ne puis dire ce que je pense qu'à ce carnet,
et me prends à l'aimer comme un ami discret,

docile, à qui pouvoir enfin confier ma plus secrète et plus douloureuse pensée.

Robert croit me connaître à fond ; il ne soupçonne pas que je puisse avoir, en dehors de lui, de vie propre. Il ne me considère plus que comme une dépendance de lui. Je fais partie de son confort. Je suis sa femme.

5 *juillet*.

Devant tout nouveau venu, je sens, je sais que son premier souci est de chercher par où le tenir, par où le prendre. Même dans ses actes les plus généreux en apparence et par où il se montre le plus obligeant envers autrui, je sens l'arrière-pensée de faire d'autrui son obligé. Et avec quelle naïveté il agit, quel naturel !... Les premiers temps, alors qu'il n'avait pas appris à se défier de moi, il lui échappait de ces phrases révélatrices : « Je suis bien mal récompensé de ma sympathie » ; comme si la sympathie devait attendre d'autrui sa récompense ! et je frémissais lorsque je l'entendais dire : « ...Un tel... après ce que j'ai fait pour lui, il n'a rien à me refuser. »

C'est toute la raison d'être de cette revue, que Robert a dirigée durant quatre ans et dont il n'a cessé de s'occuper que l'an dernier, après que son ruban rouge se fut changé en rosette. Sous des dehors d'impartialité, ce n'était qu'une sorte d'agence d'entr'aide, de complaisances réciproques. Chaque article de louange était considéré par Robert comme une lettre de crédit. Le plus fort

c'est son art, en se servant des gens, de paraître
leur rendre service. Qu'eussent été les quelques
articles qu'il a donnés à cette revue, sans ce jeune
secrétaire qui les a mis sur pied, qui les a récrits,
repensés ?... Mais quand il parle de ce charmant
garçon, si remarquablement doué, si discret et de
manières si exquises, il lui arrive de s'écrier : « Ah !
qu'est-ce qu'il serait sans moi, celui-là ! »

A entendre Robert, cette revue n'avait pour but
que d'aider les artistes méconnus, que de se dévouer
à les faire connaître, à « les imposer au public »,
comme il disait ; mais, du même coup, elle l'aidait
à se pousser lui-même. Oui, sans doute, Robert a
beaucoup fait pour mettre en valeur l'extraordinaire talent de Bourgweilsdorf, à la fois si fier et
d'une si exquise modestie, ou du moins si sincèrement dédaigneux de la faveur du grand public ;
mais l'extraordinaire plus-value que ses tableaux
ont due à la campagne savamment organisée par
la revue après la mort de Bourgweilsdorf a permis
à Robert de vendre deux toiles de ce qu'il appelle
sa « galerie » beaucoup plus cher qu'il n'avait payé
toutes les autres. Sorties des armoires où elles
étaient restées enfermées si longtemps, elles para-
dent aujourd'hui sur les panneaux et permettent
à Robert de dire sentencieusement à son fils : « Il
est bien rare que Dieu ne nous récompense pas,
en fin de compte. »

Ah ! que j'aimerais le voir, ne fût-ce qu'une fois,
défendre une cause où vraiment il aurait à se compromettre, éprouver des sentiments dont il ne
pourrait tirer avantage, avoir des convictions qui
ne lui rapporteraient rien...

Quand il a invité papa et nos cousins de Berre,
et même ce brave Bourgweilsdorf encore si peu
fortuné, à mettre de l'argent dans cette affaire
d'imprimerie, qui du reste a échoué si piteusement,
il semblait que ce fût une grande faveur : les
actions étaient très demandées ; il ne pouvait disposer que d'un certain nombre dont, par une
faveur particulière, il consentait à faire profiter
des amis... Tout cela était si habilement présenté
que j'en venais moi-même à penser : « Comme
Robert est gentil !... » Car je ne comprenais pas
alors que tous ces titres qu'il faisait prendre lui
assuraient la majorité et gonflaient démesurément
son importance.

Et, après la déconfiture, quelles belles phrases
il trouvait, pour s'excuser à ses propres yeux des
grosses pertes que leur avait fait subir son imprudence :

— Ces pauvres chers amis... Ils sont bien mal
récompensés de la confiance qu'ils ont mise en moi.
Ah ! je suis bien puni d'avoir voulu aider les
autres. C'est à vous dégoûter de chercher à rendre
service, etc.

Quand il eût été si simple de rembourser tout
bêtement, à Bourgweilsdorf tout au moins, l'argent
qu'il n'avait risqué dans cette affaire que sur l'in-
sistance et sur les garanties de Robert, qui, lui, a
trouvé moyen de s'en tirer à très bon compte,
ayant « liquidé la situation » au bon moment,
comme il me l'a avoué plus tard ; et quand il m'a
vue prête à m'indigner qu'il n'eût pas d'abord
songé à protéger l'argent de ses amis, il m'a confusément expliqué qu'il ne pouvait vendre leurs

actions sans une procuration qu'il n'avait pas eu
le temps de leur demander, et qu'au surplus la
vente brusque d'un trop grand nombre de titres
risquait de donner l'alarme et de faire aussitôt
baisser les prix. Je crois que je ne l'ai jamais si
bien méprisé que ce jour-là ; mais je me suis bien
gardée de le lui laisser voir, et il ne pouvait s'en
rendre compte, tant ce qu'il me racontait lui
paraissait naturel, de sorte qu'il ne doutait point
que, dans les mêmes circonstances, je n'eusse agi
tout comme lui.

6 *juillet.*

Que Gustave ressemble à son père, je crois que
c'est Marchant qui me l'a fait comprendre d'abord.
Toutes les illusions que j'ai si longtemps nourries
pour Robert, j'ai continué de les avoir pour Gustave
jusqu'à ces mois derniers, tant il est difficile de
juger vraiment un être qu'on aime. Et tandis que
je me déprenais de Robert et me croyais devenue
très perspicace, reportant mes regards et mes espé-
rances vers Gustave, je pensais d'abord : lui, du
moins... C'est aussi que les défauts de Robert ne
reparaissent chez Gustave que comme remaniés,
pour ainsi dire, et se manifestent différemment.
Mais je les reconnais à présent. Sous des aspects
nouveaux ce sont les mêmes, je ne puis plus m'y
tromper... Et même, certains traits du caractère
de Robert, c'est son fils, à présent, qui me les
explique. Je n'aime pas le voir négliger, dans son
programme, toutes les matières sur lesquelles il ne

craint pas qu'on l'interroge. Il n'apprend rien par
simple désir de s'instruire, et savoir lui importe
moins que de donner à croire qu'il sait. J'ai eu
beaucoup de mal à lui faire perdre cette habitude,
qu'il avait déjà tout petit, de demander à propos
de tout : « A quoi ça sert ? » — où, d'abord, je
ne savais voir qu'une curiosité charmante. A présent il ne le dit plus ; mais je préférerais encore
qu'il le dise, car il le pense tout de même par devers
lui et fait fi de tout ce qui ne *sert* pas.

Et dire que d'abord je le félicitais sur le choix
de ses camarades ! Quelle naïveté de ma part !
« Gustave ne consent à se lier qu'avec les meilleurs »,
disais-je a Yvonne ; et cela faisait sourire Marchant.
L'an dernier, dans cette petite fête enfantine que
j'ai donnée à la demande de Gustave et sur les
conseils de Robert, nous avions un fils de ministre,
un neveu de sénateur, un jeune comte, enfin pas
un enfant qui n'eût des parents extraordinairement
fortunés, puissants ou célèbres. Robert lui-même
n'aurait pas mieux choisi. Gustave a bien encore
un autre ami. C'est un boursier. Ses parents sont
dans l'enseignement ; ils sont pauvres. Gustave
m'a fait comprendre qu'il n'était pas séant de
l'inviter avec les autres. J'ai d'abord voulu voir
là de la délicatesse de sa part. Je crois aujourd'hui
que Gustave craignait tout simplement que cet
ami ne lui fît honte. Il le voit volontiers ; mais
c'est pour l'éblouir, le dominer. Quant à moi, je le
préfère à tous les autres ; c'est le seul qui me paraisse
avoir une vraie valeur personnelle. Ce garçon
plein de cœur adore Gustave et, quand je le vois
tomber en admiration devant ce que dit ou fait

son ami, il me prend des envies de l'avertir, de lui dire :

— Mon pauvre petit, ne t'y trompe pas ; c'est ta dévotion qu'aime mon fils ; ce n'est pas toi.

— Mais, maman, ça lui fait tant de plaisir de me rendre service ! — riposte Gustave, lorsque je lui reproche de recourir au dévouement de son ami pour quelque besogne qu'il aurait fort bien pu faire lui-même. — Ça l'amuse et moi ça m'ennuie.

De sorte que c'est l'autre qui lui dit : Merci.

9 juillet.

L'amusement que je trouve à couvrir les pages blanches de ce cahier me paraît bien vain, mais il est indéniable. Pourtant je laisse moins qu'autrefois courir ma plume ; je n'ai pas précisément le souci de bien écrire ; mais, réfléchissant davantage, il me semble que j'écris mieux. Rien ne m'a plus instruite que de chercher à instruire Gustave et Geneviève. Pour leur faire mieux comprendre les auteurs de leur programme, j'ai d'abord cherché à les mieux comprendre moi-même, ce qui est cause que mes goûts ont beaucoup changé et que bien des livres modernes, où naguère je prenais intérêt, aujourd'hui me paraissent insipides et vides, tandis que d'autres s'animent et s'éclairent que je ne lisais d'abord que par devoir et où je ne trouvais que de l'ennui. Je sais à présent découvrir dans les grands auteurs du passé, à travers ce qui ne me paraissait que pompe froide et beau langage, beaucoup de confidence, au point que de certains d'entre eux j'ai

fait des conseillers secrets, des amis, et souvent c'est
près d'eux que j'ai cherché refuge, que j'ai trouvé le
réconfort et la consolation dont j'ai parfois si grand
besoin, car je me sens terriblement seule.

11 juillet.

Le vieil abbé Bredel, qu'un deuil de famille appelait à Bordeaux, est venu passer avec moi la fin
du jour d'hier. Il me connaît si bien ! naguère je
m'entendais si bien avec lui !... Je me suis confiée
à lui, ce que je n'avais plus fait depuis longtemps,
car depuis longtemps j'ai beaucoup négligé mes
devoirs religieux. Les pratiques que Robert étale
ont comme désaffecté mon cœur ; les manifestations de sa piété m'ont fait douter de l'authenticité de la mienne. Ses génuflexions ostentatoires
arrêtent la prière en mon cœur... Mais hier, par
faiblesse, par angoisse de solitude et besoin de
sympathie, je n'ai pu me tenir de parler à l'abbé,
qui veut que je le considère plus encore comme un
ami que comme un prêtre. Hélas ! Je suis sortie
de cet entretien diminuée, désorientée, découragée,
sans plus de confiance en moi qu'en Robert.

L'abbé a commencé par me dire que ce n'est pas
toujours « de l'abondance du cœur que sortent les
paroles », et de même que souvent, dans la prière,
le geste précédait l'élan sincère, je devais accepter
que, chez Robert, l'expression d'un sentiment ne
fût pas aussitôt accompagnée du sentiment réel,
mais espérer que le sentiment, un peu plus tard,
finirait par la rejoindre. L'important, selon l'abbé,

n'est pas tant de dire ce que l'on pense (car l'on
pense souvent fort mal) que ce que l'on devrait
penser ; car tout naturellement, et presque malgré
soi, on en vient à penser ce que l'on a dit. Bref, il
a pris violemment la défense de Robert, m'a dénié
tout droit de mettre en doute sa sincérité, et n'a
consenti à voir dans ma plainte et dans ce qu'il
appelait mes « revendications », qu'une manifes-
tation de l'orgueil le plus déplorable, orgueil que
ma négligence à accomplir mes devoirs religieux
avait laissé croître et se développer en moi. Et
bientôt, tant est grand l'empire que l'abbé a su
prendre sur moi, j'ai cessé de voir nettement ce
dont je me plaignais, de comprendre ce que je
reprochais à Robert ; je n'étais plus qu'une enfant
qui regimbe et qui récrimine. Et comme, en sanglotant, je protestais que, là où il voulait voir de
la révolte, il n'y avait qu'un grand besoin de servir
et de me dévouer, mais de me dévouer à quelque
chose de réel, et que, chez Robert, à l'abri de
spécieux dehors, ne se cachait rien qu'un grand
vide :

— Eh bien, — m'a-t-il dit gravement, et d'une
voix brusquement attendrie, — dans ce cas, mon
enfant, votre devoir est de l'aider à cacher ce
vide... aux regards de tous, — a-t-il ajouté plus
gravement encore, — et particulièrement de vos
enfants. Il importe qu'ils puissent continuer à respecter, à honorer leur père. C'est à vous d'y aider
en couvrant, cachant et palliant ses insuffisances.
Oui, c'est là votre devoir d'épouse chrétienne et de
mère ; un devoir auquel vous ne pouvez chercher
à vous dérober sans impiété.

A demi prosternée devant lui, je cachais dans mes mains mes sanglots, ma confusion, ma rougeur. Quand j'ai relevé le front, j'ai vu des larmes dans ses yeux et senti dans son cœur une pitié sincère et profonde qui m'a soudain plus émue que n'avaient fait d'abord ses paroles. Je n'ai rien dit, rien pu trouver à dire ; mais il a bien compris que je me soumettais.

Peu s'en faut que je ne déchire aujourd'hui tout ce que j'écrivais ces jours derniers ; mais non, je veux pouvoir le relire, quand ce ne serait que pour en prendre honte...

12 juillet.

Ainsi donc, tout ce qui me reste à faire, c'est de me mettre au service d'un être pour qui je n'ai plus d'amour, plus d'estime ; d'un être qui ne me saura aucun gré d'un sacrifice qu'il est incapable de comprendre et dont il ne s'apercevra même pas ; d'un être dont j'ai connu trop tard la médiocrité ; d'un pantin dont je suis la femme. C'est là mon lot, ma raison d'être, mon but ; et je n'ai plus d'autre horizon sur terre.

En vain l'abbé fait-il valoir la beauté du renoncement. « Aux yeux de Dieu », dit-il. Et tout aussitôt, dans ma détresse, j'ai pris conscience de ceci : c'est que j'ai cessé de croire en Dieu en même temps que j'ai cessé de croire en Robert. La seule idée de le retrouver par delà le tombeau, en triste récompense à ma fidélité, me fait horreur... au point que mon âme se refuse à la vie éternelle. Et si je ne suis

pas plus effrayée de la mort c'est que je ne crois
pas à la survie, que je n'y crois plus, je le sens.
J'écrivais hier le mot « soumission » ; mais ce n'est
pas vrai ; je ne sens en moi que désespoir, que
révolte, qu'indignation. « Orgueil », dit l'abbé...
Eh bien, oui ; je crois que je vaux mieux que Robert
et c'est précisément quand je me serai le plus
humiliée devant Robert que je prendrai le mieux
conscience de ce que je vaux et me sentirai le
plus orgueilleuse. L'abbé, qui me met en garde
contre le péché d'orgueil, ne comprend-il pas qu'il
m'y précipite au contraire et que l'unique ressort
auquel il puisse faire appel pour obtenir de moi
l'humilité, c'est l'orgueil ?

Orgueil. Humilité... Je me répète ces mots sans
les comprendre et comme si cette conversation
avec l'abbé venait de les vider de tout sens. Et la
pensée, que je repousse en vain, qui depuis hier
me torture, qui discrédite en mon esprit aussi bien
l'abbé que tout ce dont il tâchait de me convaincre :
c'est que, au fond, l'Église et lui ne se soucient
que des dehors. L'abbé s'accommode bien plus
volontiers d'un simulacre qui le sert que de ma
sincérité qui le gêne et le désoblige. Robert a su
se l'acquérir, comme il sait empaumer (ah ! le mot
affreux !) tout le monde. A lui la louange, à moi
la réprobation. Peu importe qu'il y ait quelque
chose ou non sous le geste. Le geste suffit à l'abbé.
Le geste leur suffit à tous ; et c'est moi qui suis
vaine de ne point consentir à m'en contenter. Ce
que je cherche par delà n'a aucune importance,
aucune existence, aucune réalité.

Allons ! Puisqu'il paraît qu'il faut se satisfaire

de l'apparence, je prendrai donc celle de l'humilité,
sans aucun sentiment d'humilité réelle en mon
cœur.

Mais ce soir, dans ma détresse, je voudrais
croire à Dieu pour lui demander si c'est bien là
vraiment ce qu'il désire ?

13 *juillet.*

Une consternante dépêche de mon père me
rappelle brusquement à Paris. Robert vient d'être
victime d'un accident d'auto ; « *sans gravité* », dit
la dépêche, qui pourtant me demande de revenir.
Si l'état de Robert était très grave, mon père
rappellerait également Gustave. C'est ce que je me
dis pour me rassurer.

J'ai des remords affreux de ce que j'écrivais ici
ces jours derniers. Heureusement Gustave va assez
bien pour que je puisse sans crainte le laisser seul
quelques jours. Le patron de la pension me pro-
met de veiller sur lui, et le docteur, qui précisément
était là lorsque j'ai reçu la dépêche, s'engage à
m'envoyer un bulletin de santé quotidien. Je
rentre donc par le premier train.

Paris, le 14 juillet.

Dieu merci, Robert est vivant. Le docteur Marchant et le chirurgien m'affirment qu'il n'y a pas
lieu de s'inquiéter. Mais comment ne pas voir dans
cet accident un avertissement du Ciel, ainsi que
me l'a dit aussitôt l'abbé Bredel que j'ai retrouvé

au chevet du lit de Robert ? La roue de l'auto qui
l'a culbuté, et qui aurait pu l'écraser, n'a, par
miracle, passé que sur le bras gauche, en travers,
occasionnant une double fracture de l'humérus,
très facile à réduire, affirme Marchant.

Ce qui m'a le plus effrayée lorsque j'ai revu
Robert, c'est un bandeau qui lui cachait une partie
du visage. Mais il n'a là que des ecchymoses insi-
gnifiantes, dit Marchant. Robert pourtant ressent
d'assez violentes douleurs de tête, qu'il supporte
avec un courage et une résignation vraiment admi-
rables. Après tout ce que j'ai déjà écrit ici, je dois
ajouter que je me tourmentais de ce qu'il allait
me dire ; ou plus exactement de l'agacement que
je craignais d'en éprouver. Mais, dès ses premiers
mots, j'ai senti que je n'avais pas cessé de l'aimer.

— Je te demande pardon pour tout l'ennui que
je vous cause, — m'a-t-il dit simplement.

Et comme je me penchais vers lui : — Non, ne
m'embrasse pas, je suis trop laid, — a-t-il ajouté
en souriant malgré ses souffrances.

Je me suis jetée à genoux au pied de son lit en
pleurant et, silencieusement, j'ai remercié Dieu
d'être resté sourd à ma plainte impie, de m'avoir
conservé Robert, de m'avoir refusé cette liberté
criminelle que je prends honte d'avoir souhaitée,
ce dont je demande pardon à Dieu de tout mon
cœur.

Que Dieu mette ainsi ma constance à
l'épreuve, c'est ce que je sentirais mieux encore,
si l'abbé ne cherchait pas à m'en convaincre. C'est
contre ce qu'il me dit à présent que je regimbe, au
moment même où d'autre part je me soumets ;

comme si l'esprit de révolte, que j'accueillais imprudemment et que je repousse à présent, se rabattait sur cette maigre prise. Je lui laisse cet os à ronger. Mais je comprends aujourd'hui combien l'abbé était en droit d'accuser mon orgueil dans ma révolte d'hier ; combien entre en effet d'orgueil dans cette mesquine irritation qui me prend à l'entendre à présent me prêcher un devoir que j'accepte et que plus n'est besoin qu'il m'enseigne. De cela aussi, mon Dieu, je m'accuse, et je saurai m'humilier jusqu'à prendre exemple de Robert dont je méconnaissais les mérites.

Maman s'offre à me remplacer près de Gustave et part ce soir pour Arcachon.

16 *juillet.*

Robert continue à se plaindre de vives douleurs de tête, mais la radiographie, à laquelle on l'a soumis hier, a pleinement rassuré Marchant, qui d'abord craignait une fracture du crâne. Quant au bras, c'est simplement une affaire de patience, affirme-t-il ; dans un mois, Robert en aura recouvré l'usage. Je me rassure aussi ; mais, hélas, l'inquiétude était-elle nécessaire pour m'incliner et me rapprocher de Robert, ou pour obtenir de lui des accents qui trouvent écho dans mon cœur ? Je crois qu'il a eu peur de mourir, et sans doute est-ce cette crainte qui, pour la première fois de sa vie, lui fit rendre un son véritable. Mais cette appréhension de la mort, c'est depuis qu'il ne l'a plus vraiment, qu'il la joue et qu'il invente des *novis-*

sima verba sublimes. Et c'est depuis que je ne suis plus inquiète pour lui que j'observe froidement tout cela.

Il s'émeut au son de sa propre voix jusqu'aux larmes et nous en ferait verser à tous si nous ne le savions parfaitement hors de danger. Cependant il est bien trop fin pour ne pas comprendre qu'avec certains il en serait pour ses frais, aussi proportionne-t-il ses effets au crédit dont il sent qu'il dispose. Avec Marchant, il ne se risque guère, mais fait l'esprit fort et plaisante ; il réserve le pathétique pour l'abbé qui le trouve « édifiant », pour papa qui le trouve « antique » et sort de la chambre en étouffant de gros sanglots. Je crois qu'en face de moi il ne se sent pas bien à son aise et craint de donner prise, car il s'efforce d'être simple, ce qui, pour lui, est on ne peut moins naturel. Mais je suis toute surprise de voir qu'il y a une personne devant laquelle il s'observe encore davantage : c'est Geneviève. Hier, à certaines paroles de son père, pas trop pompeuses pourtant, j'ai vu se dessiner sur ses lèvres une sorte de sourire, un pli narquois, et son regard a cherché le mien, qu'aussitôt j'ai chargé du plus de sévérité que j'ai pu. Nous ne pouvons empêcher nos enfants de nous juger, mais il m'est intolérable que Geneviève puisse espérer trouver en moi un assentiment à sa malice.

17 juillet.

Marchant ne s'explique pas bien l'état de Robert qui continue à se plaindre de douleurs de tête ; ou

du moins, car j'ai tort de dire qu'il se plaint, en
silence il crispe par instants ses traits, serre les
dents, comme quelqu'un qui maîtrise une violente
douleur, et, si alors on lui demande s'il souffre, fait
signe que oui, non pas même par un hochement de
tête, mais, ce qu'il estime sans doute plus éloquent,
par un simple clignement de paupières sur un
regard agonisant. Marchant soutient qu'il n'a rien
et reste assez sceptique, je crois, sur l'authenticité
de ces affres, perplexe tout au moins et dans l'ex-
pectative. Il a appelé en consultation un confrère,
qui n'y voit rien de plus que lui et m'affirme que
j'aurais tort de m'effrayer. Mais je sens bien qu'il
ne plaît pas à Robert d'être rassuré, ou plutôt qu'il
lui déplaît qu'on nous rassure.

— La science des hommes est chose bien pré-
caire, a-t-il formulé sentencieusement, après que
les docteurs sont partis, ajoutant, pour plus de
solennité : — et je parle des plus savants.

Mais, hier, il n'a consenti à prendre aucune
nourriture, a condamné sa porte qu'assiégeaient
un trop grand nombre d'importuns, et, ce matin,
il a demandé qu'on fasse revenir d'Arcachon ma
mère et Gustave. Une dépêche les annonce pour
ce soir.

L'écueil, pour lui, ce sont les phrases trop con-
nues, les « dernières paroles » célèbres, les « clichés » ;
il le sent et j'admire avec quel art il les évite. Du
reste il parle peu. On n'a pas toujours du sublime
inédit à son service. Mais une de ses plus récentes
inventions, c'est de se déprécier à plaisir ; cela
prend à merveille sur l'abbé, qui n'y voit qu'humi-

lité chrétienne et contrition. Quand Robert le sait près de son lit :

— Voici le moment, murmure-t-il en fermant les yeux, de comparer le peu de bien qu'on a fait à tout le bien que l'on aurait pu faire.

Puis, comme chacun de nous se tait, il reprend :

— Je me suis beaucoup agité pour pas grand'-chose ; — et, tournant les yeux vers l'abbé : — Espérons que Dieu ne mesure pas l'effort de l'homme au peu de résultat qu'il obtient.

Une potion calmante que je lui verse fait entr'acte ; après quoi, le voici qui reprend :

— L'eau courante n'est pas un bon miroir, mais quand l'eau se repose, l'homme peut y contempler son visage.

Alors il reprend souffle, se tourne du côté du mur, comme pour détourner son regard d'une vision trop abjecte, et, plus haut, sur un ton de reproche, de chagrin, de dégoût, de mépris et d'intime désolation :

— Je n'y vois que niaiserie, méchanceté, suffisance...

L'abbé l'interrompit :

— Allons, allons, mon ami ; Dieu qui lit dans le secret des cœurs saura bien y distinguer autre chose encore.

Hélas, pour moi je ne peux plus y voir que comédie.

18 *juillet.*

Maman est rentrée hier soir avec Gustave. Avant de recevoir son fils, Robert a voulu faire un peu

de toilette ; mais il a tenu à conserver l'inutile
bandeau qui lui couvre la moitié du front. Sous
prétexte que la lampe lui fatiguait les yeux, il l'a
fait poser de manière que son visage restât dans
la pénombre. Papa était allé rejoindre ma mère et
Gustave dans le salon et leur donnait les très
rassurantes nouvelles ; Geneviève restait avec moi
dans la chambre, ainsi que Charlotte qui achevait
de ranger les affaires de toilette. Nous avions l'air
de préparer un tableau vivant. Quand tout fut
prêt, Geneviève fit entrer.

Il eût été bien naturel que Gustave accourût
embrasser son père ; mais celui-ci ne l'entendait
pas ainsi. Il tenait à ce moment les yeux fermés et
son visage avait pris une expression si majestueuse,
que Gustave s'arrêta tout interdit. Papa et maman
restaient un peu en arrière. On entendit Robert :

— Et maintenant, approchez-vous... car je me
sens très faible.

Il rouvrit un œil, pour voir Charlotte qui faisait
mine de se retirer discrètement.

— Restez, restez, ma bonne Charlotte ; vous
n'êtes pas de trop.

Après toutes les phrases finales de ces jours derniers, j'étais assez curieuse de ce qu'il allait encore
inventer ; mais le sentiment paternel pouvait
fournir de nouveaux thèmes. S'adressant donc
particulièrement à Geneviève et à Gustave qui
s'étaient rapprochés du lit, comme des acteurs bien
stylés :

— Mes enfants, c'est à vous à présent de prendre
le flambeau que...

Mais il ne put achever sa phrase. Comme n'y

tenant plus, Geneviève lui coupa tout à coup la parole et, d'une voix claire et presque enjouée :

— Mais, papa, tu nous parles comme si tu te disposais à nous quitter. Nous savons tous que tu es presque guéri et que tu pourras te lever dans quelques jours. Tu vois que tu ne fais pleurer que Charlotte. Quelqu'un qui entrerait croirait qu'elle est seule à avoir du cœur.

— Monsieur Gustave voit bien que son papa pleure aussi, — s'écria Charlotte (et en effet, Robert, en parlant, versait de grosses larmes), puis, s'étant rapprochée un peu du lit et encouragée par notre silence : — Si monsieur se sent faible, c'est peut-être seulement qu'il a besoin de prendre. Je m'en vais lui chercher du bouillon.

Après quoi il ne resta plus à Robert qu'à demander si maman avait fait bon voyage et si Gustave s'était plu à Arcachon.

19 *juillet.*

Geneviève n'aime pas son père. Comment ai-je mis si longtemps à m'en apercevoir ? C'est aussi que je me suis depuis longtemps fort peu souciée d'elle. Toute mon attention se portait sur Gustave dont la santé délicate exigeait mes soins ; je reconnais aussi que je m'intéressais à lui davantage ; tout comme son père, il sait plaire, et je retrouve en lui tout ce qui, chez Robert, m'avait naguère tant charmée avant de me tant décevoir. Quant à Geneviève, je la croyais absorbée par ses études, indifférente à tout le reste. A présent j'en viens à

douter si j'eus raison de l'encourager à s'instruire.
Je viens d'avoir avec elle une conversation terrible, où tout à la fois j'ai compris que c'était avec
elle que je pourrais le mieux m'entendre, compris
également pourquoi je ne veux pas m'entendre
avec elle : c'est que je crains de retrouver en elle
ma propre pensée, plus hardie, si hardie qu'elle
m'épouvante. Toutes les inquiétudes, tous les
doutes, qui purent m'effleurer parfois, sont
devenus chez elle autant de négations effrontées.
Non, non, je ne veux pas consentir à les reconnaître. Je ne puis accepter qu'elle parle de son
père avec tant d'irrespect ; mais, comme je ten-
tais de lui faire honte : « Avec ça que toi tu le
prends au sérieux », m'a-t-elle jeté à la face, si
brutalement que je me suis sentie rougir et n'ai
su rien lui répondre, ni lui cacher ma confusion.
Elle m'a déclaré sitôt ensuite qu'elle ne pouvait
admettre le mariage s'il devait conférer au mari
des prérogatives ; que, pour sa part, elle n'accepterait jamais de s'y soumettre, qu'elle était bien
résolue à faire, de celui dont elle s'éprendrait, son
associé, son camarade, et que le plus prudent était
encore de ne l'épouser point. Mon exemple l'avertissait, la mettait en garde et, d'autre part, elle ne
saurait trop me remercier de l'avoir, par l'instruction que je lui avais donnée, mise à même de nous
juger, de vivre d'une vie personnelle et de ne point
lier son sort à quelqu'un qui peut-être ne la vaudrait point.

Tandis qu'elle marchait à grands pas dans la
pièce, je restais assise, accablée par le cynisme de
ses propos. Je l'ai priée de baisser la voix, crai-

gnant que son père pût l'entendre, mais elle
alors :

— Eh bien ! quand il nous entendrait... Tout
ce que je te dis, je suis prête à le lui redire ; tu
peux même le lui redire toi-même. Redis-le-lui.
Oui ; c'est ça, redis-le-lui.

Il me parut qu'elle ne se possédait plus ; je la
quittai. Tout ceci se passait il y a quelques heures
à peine...

20 juillet.

Oui, ceci se passait hier, avant le dîner. Et sans
doute Geneviève a-t-elle été sensible à la tristesse
que, durant le repas, je ne parvenais pas à cacher.
Elle est venue me retrouver dans la soirée. Elle
s'est jetée dans mes bras comme une enfant ; elle
me caressait le visage et m'embrassait comme elle
faisait jadis, et si tendrement que je n'ai pu retenir
mes larmes.

— Ma petite maman, je t'ai fait du chagrin, —
m'a-t-elle dit. — Il ne faut pas trop m'en vouloir ;
mais, vois-tu, avec toi, je ne puis pas, je ne veux
pas mentir. Je sais que tu peux me comprendre, et
moi je te comprends beaucoup mieux que tu ne
voudrais. Il faut que je te parle davantage. Il y a
des choses, vois-tu, que tu m'as appris à penser et
que tu n'oses pas penser toi-même ; des choses
auxquelles tu crois que tu crois encore et auxquelles,
moi, je sais que je ne crois plus du tout.

Je me taisais, n'osant lui demander quelles

étaient ces choses ; et, brusquement, elle m'a
demandé si c'était à cause d'elle et de Gustave que
j'étais restée fidèle à leur père ? « car je n'ai jamais
douté que tu ne lui sois restée fidèle », a-t-elle
ajouté en me considérant fixement, comme on
regarde un enfant qu'on chapitre. Si monstrueux
que me parût ce retournement de nos rôles, j'ai protesté que l'idée de tromper mon mari n'avait
jamais effleuré ma pensée ; elle me dit alors qu'elle
savait très bien que j'avais aimé Bourgweilsdorf.

— Il se peut, mais je n'en ai moi-même rien su,
— ai-je riposté sèchement.

Mais elle :

— Tu pouvais ne pas te l'avouer, mais lui s'en
doutait bien, j'en suis sûre.

Je m'étais levée pour m'écarter d'elle, prête à
quitter la pièce si elle continuait de me parler
ainsi, en tout cas décidée à ne plus lui répondre. Il
y eut un assez long silence et je me suis assise, ou
plutôt laissée tomber dans un autre fauteuil, car je
me sentais à bout de forces. Aussitôt elle s'est précipitée de nouveau dans mes bras, s'est assise sur
mes genoux, et, plus caressante que jamais :

— Mais, maman, comprends bien que je ne te
blâme pas.

Et comme je sursautais à ces mots, elle m'a pris
les deux bras pour m'immobiliser, en riant, comme
pour atténuer par un ton de gaminerie l'intolérable
inconvenance de ses paroles.

— Je voudrais seulement savoir s'il y a eu de
ta part un sacrifice ?

Elle était redevenue très sérieuse ; quant à moi
je faisais effort pour garder un visage impassible ;

elle a compris que je ne lui répondrais point et a repris :

— Quel beau roman je pourrais écrire sous ta dictée ! Ça s'appellerait : *Les devoirs d'une mère ou le sacrifice inutile.*

Et comme je ne disais toujours rien, elle a commencé à remuer la tête de droite et de gauche en manière de lente dénégation :

— Ce n'est pas parce que tu t'es faite l'esclave de ton devoir... — puis elle s'est reprise : — d'un devoir imaginaire... Non, non, tu sens bien que je ne puis pas t'en être reconnaissante. Non, ne proteste pas. Je crois que je ne pourrais plus t'aimer si je me sentais ton obligée, si je sentais que tu me crois ton obligée. Ta vertu est à toi ; je ne supporte pas de me sentir engagée par elle. — Puis changeant de ton brusquement :

— Maintenant dis-moi vite n'importe quoi pour que tout à l'heure, quand je serai seule dans ma chambre, je ne sois pas furieuse de t'avoir dit tout cela.

Je me sentais mortellement triste et n'ai pu que l'embrasser sur le front.

Je n'ai pas dormi cette nuit. Les phrases de Geneviève retentissent dans le vide affreux de mon cœur. Ah ! je n'aurais pas dû la laisser parler. Car à présent je ne sais plus si c'est elle qui parle, ou moi-même. Cette voix que j'ai laissée s'élever, voudra-t-elle jamais plus se taire ? Si je ne suis pas plus effrayée, c'est que ma lâcheté me rassure. Ma pensée se révolte en vain ; malgré moi je reste soumise. Je cherche en vain ce que j'aurais pu faire de plus, ce que j'aurais pu faire d'autre dans la vie ;

malgré moi je reste attachée à Robert, à mes
enfants qui sont les enfants de Robert. Je cherche
où fuir, mais je sais bien que cette liberté que je
souhaite, si je l'avais je ne saurais qu'en faire. Et
j'entends comme un glas ces mots que Geneviève
me disait un jour en riant :

— Tu auras beau faire, ma pauvre maman, tu
ne seras jamais qu'une honnête femme.

22 juillet.

J'écrirai mes pensées sans suite...

Le respect de mes enfants me retenait, et j'aimais
à m'appuyer contre ; ce soutien, Geneviève me
l'enlève. Je n'ai même plus cela pour m'aider. C'est
contre moi seule à présent que je me débats ; ce
n'est que de ma propre vertu que je me sens irré-
médiablement prisonnière.

Et si encore Robert me fournissait quelques
griefs ! mais non ; ces défauts dont je souffre et
que j'ai pris en haine, ce n'est pas contre moi qu'il
les tourne et je ne puis lui reprocher que son être ;
du reste aucun autre amour ne m'entraîne, et je
ne songe pas à le trahir, du moins pas autrement
qu'en m'en allant. Ah ! je voudrais seulement le
quitter...

Si encore il était infirme ! S'il ne pouvait se
passer de moi !

Ce n'est pas avant quarante ans que je puis
renoncer à vivre. Dieu ne m'accordera-t-il point
d'autres devoirs que ce mortel effacement et une
résignation misérable ?

Quel conseil espérer ? et de qui ? Mes parents sont dans l'admiration de Robert et me croient parfaitement heureuse. Pourquoi les détromper ? Qu'espérer d'eux, sinon de la pitié peut-être, dont je n'ai que faire ?   .

L'abbé Bredel est trop âgé pour me comprendre. Et que me dirait-il de plus que ce qu'il me disait à Arcachon, qui ne fit qu'augmenter ma détresse : m'ingénier à cacher aux enfants la médiocrité de leur père. Comme si... Mais je ne veux point lui parler de la conversation que je viens d'avoir avec Geneviève ; ceci ne ferait que l'enfoncer dans l'opinion qu'il a d'elle, qui n'est pas bonne ; et je sais bien qu'aux premiers mots qu'il m'en dirait, je prendrais le parti de Geneviève. Quant à elle, jamais elle n'a pu supporter l'abbé, et tout ce que je puis obtenir c'est qu'elle ne lui dise pas d'insolences.

Marchant ?... Avec lui, certes oui, je pourrais m'entendre. Je ne m'entendrais que trop bien. C'est pour cela que je me tais. Et puis je ne me pardonnerais pas de troubler le bonheur d'Yvonne. Je suis trop son amie pour ne pas tout lui cacher.

Mais tandis que j'écris ceci, une idée surgit soudain en moi. Elle est peut-être absurde, mais je la sens impérieuse : la personne à qui je dois parler de Robert, c'est Robert lui-même. Ma résolution est prise : je lui parlerai dès ce soir.

23 juillet.

Hier soir je m'apprêtais à passer dans la chambre de Robert pour cette explication que je m'étais

promise d'avoir avec lui, lorsque papa s'est fait
annoncer. Il lui est si peu habituel de venir à cette
heure tardive que je me suis d'abord écriée :

— Maman n'est pas souffrante ?

— Ta maman va parfaitement.

Et, tandis qu'il me pressait dans ses bras :

— C'est toi, mon petit, qui ne vas pas. Ta, ta, ta,
ne proteste pas. Voilà déjà longtemps que je sens
qu'il y a quelque chose qui cloche... Ma petite
Éveline, je ne peux pas supporter de te sentir
malheureuse.

J'ai commencé par dire :

— Mais, papa, tout va très bien. Qu'est-ce qui
te fait croire ?...

J'ai dû m'interrompre, car il m'avait posé ses
deux mains sur les épaules et me regardait si fixement que j'ai senti que je me décontenançais.

— Ces pauvres yeux battus en disent long.
Voyons, ma petite fille... ma petite Éveline, pourquoi te caches-tu de moi ? Robert te trompe ?

Cette question était si inattendue que je m'écriai
bêtement, comme malgré moi :

— Ah ! plût au ciel !...

— Mais... alors c'est sérieux. Voyons, parle ;
qu'est-ce qu'il y a ?

Il était si pressant que je n'ai plus pu me retenir.

— Non, Robert ne me trompe pas, — lui ai-je
dit. — Je n'ai rien à lui reprocher ; et c'est précisément ce qui me désespère.

Et comme je voyais qu'il ne comprenait pas.

— Tu te souviens, quand, dans les premiers
temps, tu t'opposais à mon mariage, je te demandais alors ce que tu reprochais à Robert, et je

m'indignais quand tu ne trouvais rien à me dire.
Pourquoi ne me répondais-tu pas ?

— Mais, ma petite enfant, je ne sais plus. Il y
a si longtemps... Oui, j'ai d'abord méjugé Robert.
Ses façons ne me plaisaient pas. Heureusement
j'ai assez vite compris que je me trompais...

— Hélas ! papa, c'est alors que tu le jugeais
bien. Ensuite tu as cru que tu te trompais parce
que j'étais heureuse avec lui. Mais cela n'a pas
duré. J'ai compris à mon tour... Non, tu ne te
trompais pas. J'aurais dû t'écouter alors, comme
je faisais quand j'étais une petite fille bien sage.

Il est resté longtemps, hochant la tête, comme
accablé. Il murmurait :

— Mon pauvre petit... Mon pauvre petit — si
tendrement que je me désolais de lui causer tant
de peine. Mais il fallait aller jusqu'au bout. J'ai
fait appel à tout mon courage et j'ai dit :

— Je veux le quitter.

Il a eu un sursaut de tout le corps et a fait :
« Hé là ! Hé là ! » sur un ton tellement bizarre que
j'aurais ri si j'en avais eu le cœur. Puis il m'a prise
près de lui sur le canapé où il était assis et, tout
en me caressant les cheveux :

— C'est ton abbé qui en ferait une drôle de
tête, si tu faisais cette bêtise-là. Tu lui as parlé de
tout ça ?

Je fis signe que oui, puis dus lui avouer que je
ne m'entendais plus avec l'abbé aussi bien que par
le passé, ce qui le fit sourire et me regarder d'un
petit air gouailleur. L'idée de cette victoire indi-
recte sur quelqu'un qu'il avait toujours eu en
grippe semblait l'amuser beaucoup.

— Tiens ! tiens... Mais changeant de ton : — Ma chère enfant, parlons sérieusement, c'est-à-dire pratiquement.

Alors il m'expliqua que si je quittais le foyer conjugal, je mettrais de mon côté tous les torts.

— On ne comprend d'ordinaire le prix d'une bonne réputation qu'après qu'on l'a perdue. Ma petite Éveline a toujours été un peu chimérique. Où irais-tu ? Que ferais-tu ? Non, non ; c'est avec Robert que tu dois continuer à vivre. Somme toute ce n'est pas un méchant garçon. Si tu tâchais de t'expliquer avec lui, il comprendrait peut-être...

— Il ne comprendra pas ; mais je lui parlerai tout de même, et cela ne fera que resserrer le nœud coulant.

Alors il a repris disant qu'il ne fallait pas chercher à s'en échapper mais « à établir un *modus vivendi* » et à « chercher un tempérament ». Il use volontiers des mots qui lui en imposent un peu, comme pour se prouver à lui-même qu'ils ne lui font pas peur. Puis, sans doute dans l'espoir de me consoler, il s'est mis à me parler de ma mère et à me raconter comment lui non plus n'avait pas trouvé dans le mariage tout ce qu'il en avait attendu. Il ne s'en était encore jamais ouvert à personne, m'a-t-il dit, aussi paraissait-il extraordinairement soulagé de pouvoir enfin y aller et s'en donnait-il à cœur joie. Je ne me sentais point le courage de l'interrompre, mais j'étais indiciblement gênée par ses confidences, aussi gênée que dans mon atroce conversation avec Geneviève. Je pense que, d'une génération à l'autre, il n'est pas trop bon que ces communications s'établissent, qui violentent chez l'un des deux une pudeur qu'il vaut sans doute mieux respecter.

Il y avait encore une autre raison à ma gêne, dont il m'est désagréable de parler car j'aime trop papa pour ne pas souffrir d'avoir à le juger et je voudrais ne jamais le trouver en faute, une raison sur laquelle je me tairais si je ne me devais ici d'être sincère. Lorsque papa en vint à me raconter ses ambitions de jeunesse et tout ce qu'il estimait qu'il eût pu faire s'il se fût senti mieux compris et plus secondé par maman, je ne pouvais me retenir de penser qu'il n'eût tenu qu'à lui d'obtenir de lui davantage et que, s'il n'avait pas su tirer meilleur parti de son intelligence et de ses dons, il ne lui déplaisait pas d'en croire maman responsable. Je ne doute pas qu'il n'ait souffert de l'esprit uniquement pratique et borné de maman, mais je crois qu'il aime assez pouvoir dire : « Ta mère ne veut pas... Ta mère n'est pas d'avis que... » et à se reposer là-dessus.

Il m'a dit ensuite qu'il ne connaissait pas de ménage dont l'union fût si parfaite que l'un des deux époux n'ait pu souhaiter parfois ne s'être jamais engagé. Je n'ai pas protesté car papa n'aime pas beaucoup qu'on le contredise, mais je ne puis admettre cela qui me fait l'effet d'un blasphème.

Notre conversation s'est prolongée fort avant dans la nuit. Papa en a été, je crois, très réconforté et n'a pas compris qu'il me laissait plus désespérée que jamais.

24 *juillet*.

Un nœud coulant... Et tout effort pour m'en dégager le resserre... La grande explication avec Robert a eu lieu. J'ai joué ma dernière carte et perdu la partie. Ah ! j'aurais dû fuir sans rien dire, ni à papa, ni à personne. Je ne peux plus. Je suis vaincue.

J'ai trouvé Robert étendu sur sa chaise-longue, car il commence à quitter son lit depuis quelques jours.

— Je venais voir si tu n'avais besoin de rien, — lui ai-je dit, cherchant quelque entrée en matière.

De sa voix la plus angélique :

— Non merci, chère amie. Ce soir je me sens vraiment mieux et commence à croire que la mort ne veut pas encore de moi.

Puis, comme il ne manque pas une occasion de marquer sa générosité, sa délicatesse et sa grandeur d'âme :

— Je t'ai donné bien du souci. Je voudrais être sûr que je mérite tous les soins qu'on m'a prodigués.

Je m'efforçais de le regarder avec indifférence :

— Robert, je voudrais avoir avec toi une conversation sérieuse.

— Tu sais, mon amie, que je ne me refuse jamais à parler sérieusement. Quand on a vu la mort d'aussi près que je l'ai vue ces jours derniers, on est tout naturellement porté aux pensées graves.

Mais brusquement je cessai de comprendre de

quoi je me plaignais et ce que j'étais venue dire.
Ou plus exactement : ce dont j'avais à me plaindre
me parut tout à coup parfaitement informulable.
Surtout je ne savais comment, par quelle phrase,
par quelle question commencer ; pourtant j'étais
fermement résolue à engager la lutte et me redisais,
jusqu'à l'affolement : « Tu ne le feras jamais si tu
ne le fais pas maintenant ». De sorte qu'il me parut
qu'il n'importait peut-être pas beaucoup par quelle
phrase ouvrir l'attaque et que le mieux était de se
fier à une sorte d'inspiration qui ne manquerait
pas de me secourir sitôt ensuite. Alors, comme un
plongeur qui se lance les yeux fermés dans le
gouffre :

— Je voudrais, Robert, que tu me dises, si tu
t'en souviens encore, pour quelles raisons tu m'as
épousée.

Certainement il s'attendait si peu à une question
de ce genre qu'il en parut un instant tout étonné.
Un instant seulement, car Robert, en quelque
situation que les événements le mettent, est toujours extraordinairement prompt et habile à se
ressaisir. Il me rappelle ces marionnettes à tête
légère qui d'elles-mêmes se redressent toujours sur
leurs pieds. Tout en me regardant pour tâcher de
comprendre quelle intention cachaient mes propos
et pour doser sans doute sa défense :

— Comment peux-tu parler ici de raisons, quand
il s'agit de sentiments ?

Robert sait s'y prendre de manière à dominer
toujours un adversaire. Quoi qu'on fasse, le point
de vue où il se place semble aussitôt le plus élevé.
Je sentis que j'allais, comme aux échecs, perdre

l'avantage de l'attaque. Mieux valait l'amener de nouveau à se défendre :

— Je t'en prie, tâche de me parler simplement.

Il protesta tout aussitôt :

— On ne peut pas parler plus simplement que je fais.

C'était vrai, et je sentis aussitôt l'imprudence de ma phrase. Elle contenait un vieux reproche qui certes avait eu le temps de grossir dans mon cœur ; mais, pour une fois, ce reproche était immotivé.

— Oui, ceci, tu me le dis simplement. Mais le plus souvent ta grandiloquence m'accable, et tu te réfugies dans des régions sublimes où tu sais que je ne pourrai pas te suivre.

— Il me semble, chère amie ,— dit-il en souriant affablement et de son ton le plus suave, — que, pour l'instant, c'est toi qui ne parles pas simplement. Voyons, dis-moi tout net : tu as quelque chose à me reprocher. Je t'écoute.

Mais le mode de Robert, cette façon de s'exprimer qui m'était devenue à ce point insupportable, c'est moi qui la prenais à présent, tout comme il m'arrivait quand j'étais plus jeune, par sympathie, de prendre l'accent anglais quand je parlais avec un Anglais, au grand amusement de papa. Est-ce pour la même raison que Robert en s'adressant à moi se trouvait comme forcé de parler simplement, tandis qu'irrésistiblement, en lui parlant, j'adoptais son ton et ses manières ? Je m'enferrais de plus en plus.

— Comme je me sentirais soulagée si je pouvais te reprocher quelque chose de précis, — hasardai-je. — Mais non ; je ne sais que trop que tu ne te mets jamais dans ton tort, comme je viens déjà de m'y mettre moi-même sitôt que j'ai cherché à m'expliquer avec toi. Et pourtant je t'assure que je ne cède à aucun mouvement irréfléchi. Cette conversation que je me promets depuis longtemps d'avoir avec toi et que je remets de jour en jour...

Je ne pus achever ; ma phrase était déjà trop longue. Je repris d'une voix si basse que je m'étonnai qu'il pût m'entendre :

— Écoute, Robert. Simplement, je ne puis plus vivre avec toi.

Pour trouver la force de parler ainsi, fût-ce à voix basse, j'avais dû cesser de le regarder. Mais, comme il se taisait, je relevai les yeux sur lui. Il me parut qu'il avait pâli.

— Si je te demande à mon tour quelles raisons tu aurais de me quitter, dit-il — enfin, — tu serais à présent en droit de me répondre toi aussi que c'est une affaire non de raisons, mais de sentiments.

— Tu vois bien que je ne te le dis pas, — repris-je. Mais lui :

— Éveline, dois-je comprendre que tu ne m'aimes plus ?

Sa voix tremblait, juste assez pour me laisser douter si son émotion était feinte ou sincère. J'ai fait un grand effort et, péniblement :

— Celui que j'ai passionnément aimé était très différent de celui que j'ai lentement découvert que tu étais.

Il haussa les sourcils et les épaules.

— Si tu parles par énigmes, je ne...

Je repris :

— J'ai peu à peu découvert que tu étais très différent de celui que je croyais d'abord, de celui que j'avais aimé.

Alors il se passa quelque chose d'extraordinaire : je le vis brusquement prendre sa tête dans ses mains et éclater en sanglots. Il ne pouvait plus être question de feinte ; c'étaient de vrais sanglots qui lui secouaient tout le corps, de vraies larmes que je voyais mouiller ses doigts et couler sur ses joues, tandis qu'il répétait vingt fois d'une voix démente :

— Ma femme ne m'aime plus ! Ma femme ne m'aime plus !...

J'étais loin de m'attendre à cette explosion. Je restais atterrée, sans plus savoir quoi dire, non point beaucoup émue moi-même, car évidemment je n'aime plus Robert ; indignée plutôt de le voir recourir à des armes qui ne me paraissaient pas loyales, en tout cas fort gênée de me sentir la cause d'un chagrin véritable et devant lequel mes griefs n'avaient plus qu'à battre en retraite. Pour consoler Robert il m'eût fallu recourir à des protestations mensongères. Je m'approchai de lui et posai ma main sur son front qu'il releva tout aussitôt.

— Mais pourquoi donc alors est-ce que je t'aurais épousée ? Est-ce à cause de ton nom ? de ta fortune ? de la situation de tes parents ? Dis ! Dis ! Mais parle un peu pour que je comprenne. Tu sais bien que... que je...

Il semblait à présent si naturel, si parfaitement sincère que je m'attendais à entendre : « que j'aurais pu trouver beaucoup mieux ». Mais ce fut :

« que c'est parce que je t'aimais » qui sortit ; puis, d'une voix de nouveau coupée de sanglots :

— ...Et parce que je croyais... que... tu m'aimais.

J'étais presque scandalisée de mon indifférence. Si sincère que l'émotion de Robert pût être à présent, le déploiement de cette émotion me glaçait.

— Je pensais que cette explication ne serait pénible que pour moi, — commençai-je ; mais il m'interrompit :

— Tu dis que je ne suis pas celui que tu avais cru. Mais alors toi non plus tu n'es pas celle que je croyais. Comment veux-tu que l'on sache jamais si l'on est bien celui que l'on doit être ?

Puis, selon son habitude de s'emparer de la pensée d'autrui pour la plier à son usage (ce qu'il fait, je crois bien, le plus inconsciemment du monde) :

— Mais aucun de nous, ma pauvre amie, aucun de nous ne se maintient constamment à la hauteur de ce qu'il voudrait être. Tout le drame de notre vie morale est là, précisément... Je ne sais si tu saisis ?... (Cette phrase-tic vient immanquablement lorsqu'il commence à changer de sujet et qu'il sent que l'interlocuteur s'en rend compte)... Il n'y a que les êtres sans idéal qui...

— Mon ami, mon ami, — fis-je doucement avec un geste de la main pour l'interrompre, sachant bien que sur ce terrain doctrinal une fois lancé, il ne s'arrêterait pas de lui-même. Mon interruption le fit un peu dévier.

— Comme si, dans la vie, on n'était pas forcé d'en rabattre... C'est-à-dire qu'on se voit forcé de ramener son idéal à portée de prise. Mais toi, tu as toujours été une chimérique.

Allons ! cela doit être vrai, puisque papa, hier, le disait aussi. Je ne pus que sourire tristement. Alors Robert, par un bondissement naturel, regagnant ces régions supérieures d'où ma plainte égoïste avait eu l'impertinence de l'arracher :

— Tu touches d'ailleurs là, chère amie, à un problème du plus haut intérêt, qui est celui même de l'expression. Oui, vois-tu, il s'agit de savoir si, dans l'expression, l'émotion s'épuise, ou, tout au contraire, si elle y prend conscience d'elle-même, et pour ainsi dire s'y crée. On en vient à douter, en effet, si rien existe vraiment en dehors de son apparence et si... Je vais t'expliquer ; tu vas tout de suite comprendre.

Cette dernière phrase vient à la rescousse chaque fois qu'il commence à s'embrouiller. Elle m'exaspère entre toutes.

— J'ai fort bien compris, — interrompis-je. — Tu veux dire que, ces beaux sentiments que tu exprimes, je serais folle de m'inquiéter si tu les éprouves véritablement.

Son regard se chargea soudain d'une sorte de haine.

— Ah ! par exemple, il y a plaisir à être compris par toi, — s'écria-t-il d'une voix presque stridente. — Alors c'est tout ce que tu retiens de notre conversation ? Je me laisse aller à te parler avec plus de confiance et d'abandon que je n'ai fait à personne ; je m'humilie devant toi ; je sanglote devant toi. Mes larmes ne t'émeuvent pas le moins du monde ; tu interprètes mes paroles et, sur un ton glacé, tu m'invites à conclure que tout le sen-

timent est de ton côté, et que tout mon amour
pour toi n'est que...

Les sanglots de nouveau l'arrêtèrent un instant.
Je me levai, n'ayant plus qu'une idée : celle de
mettre fin à un entretien que j'avais su diriger si
mal, qui tournait à ma déconvenue et où je ne
parvenais qu'à me donner l'apparence de tous les
torts. Comme je posais ma main sur son bras pour
lui dire adieu, il se retourna brusquement et, dans
un élan subit :

— Eh bien, non ! non ! Ce n'est pas vrai. Tu
t'es trompée. Si tu m'aimais encore un peu, tu
comprendrais que je ne suis qu'un pauvre être, qui
se débat, comme tous les êtres, et qui cherche,
comme il peut, à devenir un peu meilleur qu'il n'est.

Il trouvait enfin les paroles les mieux faites pour
me toucher. Je me penchai vers lui pour l'embrasser, mais il me repoussa presque brutalement :

— Non, non. Laisse-moi. Je ne puis plus voir,
plus sentir qu'une chose : c'est que tu as cessé de
m'aimer.

Sur ces paroles je le quittai, le cœur alourdi d'une
autre tristesse, d'une tristesse qui faisait face à la
sienne et que la sienne venait de me révéler : il
m'aime encore, hélas ! Je ne puis donc pas le
quitter...

ÉPILOGUE

...1916.

Je m'étais promis de ne plus rien écrire dans ce
cahier... Bien peu de temps après l'explication avec
Robert que j'y raconte, les graves événements qui
bouleversèrent l'Europe sont venus balayer nos
préoccupations personnelles. Je voudrais retrouver
les convictions de mon enfance pour pouvoir prier
de tout mon cœur : Mon Dieu ! protégez la France !
Mais je pense que les chrétiens d'Allemagne prient
de même le même Dieu pour leur pays, malgré
tout ce que l'on nous rapporte d'eux qui tende à
nous les faire considérer comme des barbares. C'est
dans la valeur de chacun de nous, de nous tous
tant que nous sommes, que la France doit trouver
sa protection, sa défense ; et j'ai pu croire d'abord
que Robert l'avait profondément compris. Je l'ai
vu se désoler d'être arrêté par sa convalescence ;
puis, quelques mois après, consulter Marchant sur
la manière d'obtenir le certificat médical qui lui
permît de s'engager. Pourquoi m'a-t-il fallu apprendre ensuite que sa classe allait être appelée, qu'il
courait le risque d'être versé de l'armée auxiliaire
dans l'armée active, et qu'en devançant l'appel, il

restait libre de choisir son affectation ; ce qu'il fit
avec la précaution la plus grande, et en usant de
toutes les protections. Pourquoi redire ici tout
cela ? Je voudrais ne parler que de la scène atroce
que je viens d'avoir avec lui et qui va décider de
ma conduite. Mais comment l'expliquer si je ne
parle d'abord du nouveau conseil de revision qu'il
dut passer et où il trouva le moyen de se faire
réformer comme atteint de « céphalée chronique à
la suite de traumatisme » ; c'est alors que j'ai voulu
partir pour un des hôpitaux du front, où j'étais
assurée que l'on accepterait mes services ; mais il
fallait l'autorisation de Robert. Il me l'a refusée
brutalement, avec des paroles très dures, disant
que je ne faisais cela que pour le mortifier, lui
faire la leçon, lui faire honte... J'ai dû céder, attendre, et me contenter de Lariboisière, où souvent
je passais la nuit, de sorte que je ne le voyais plus
que très peu. Je fus stupéfaite, un matin, de le
retrouver en costume militaire. Il venait, grâce à
sa connaissance de l'anglais, de se faire accepter
par un comité de secours américain, ce qui lui
permettait de revêtir un uniforme, bien que ne
faisant plus partie de l'armée, et de prendre un air
martial. Mais le pauvre n'eut guère de chance : ses
déclarations patriotiques lui valurent bientôt d'être
désigné pour Verdun. Comme il ne pouvait décemment se dérober, il « crut devoir » prendre la chose
crânement, si bien qu'il reçut au bout de peu de
temps la croix de guerre, à la grande admiration
de Gustave, de mes parents et de quantité d'amis
qui s'extasièrent. A Verdun même, où il m'appela
à l'aller voir, il trouvait moyen de faire figure de

héros. Je crois qu'il n'attendait que cette décoration
pour se faire renvoyer dans ses foyers, ce qui, avec
les protections dont il dispose, ne lui fut pas trop
difficile. Comme je m'étonnais de ce retour subit,
qui ne concordait guère avec les belles déclarations
de constance que je lui entendais faire, il y a peu
de temps, à Verdun même, il m'expliqua qu'il savait
de source certaine que la guerre était tout près de
finir, et qu'il sentait qu'il pourrait à présent être
plus utile à Paris même où le moral lui paraissait
moins bon que sur le front.

Il y a deux jours de cela... Je ne lui ai pourtant
fait aucun reproche. Depuis notre pénible explication j'accepte tout de lui sans rien dire. Ce ne
sont point tant ses actes que je méprise, ce sont
les raisons qu'il en donne. Peut-être a-t-il lu ce
mépris dans mes yeux. Il s'est tout à coup rebiffé.
Sa décoration ne lui permet plus de douter de
l'authenticité de ses vertus et tout à la fois l'en fait
quitte. Moi qui n'ai pas la croix de guerre, j'ai
besoin de la vertu même, pour elle-même et non
pour l'approbation qu'elle nous vaut. La « chimérique » que je suis a besoin de réalité... Après s'être
naïvement félicité de s'être tiré de la guerre à bon
compte, et comme je ne pouvais réprimer un sourire :

— Avec ça que tu n'aurais pas fait comme moi !
— s'est-il écrié tout à coup.

Non, Robert, cec)¡ e ne te permets pas de le dire :
je ne te permets surtout pas de le penser. Je n'ai
rien répondu, mais tout aussitôt ma résolution a
été prise. J'ai pu revoir Marchant le soir même et
convenir de tout avec lui. Il a bien voulu faire pour

moi les démarches nécessaires. Demain je pars sans
bruit pour Châtellerault. Dans cet hôpital de
l'arrière, aux yeux de tous je paraîtrai parfaitement
à l'abri. C'est ce que je souhaite. Geneviève seule
sait à quoi s'en tenir. Comment a-t-elle pu se rendre
compte du genre de malades que l'on soigne là-bas ?
Je ne sais... Elle m'a suppliée de la laisser m'accompagner et prendre du service à mes côtés. Mais
je ne puis supporter qu'à son âge elle s'expose ainsi ;
elle a toute sa vie devant elle. « Non, Geneviève, là
où je vais tu ne peux pas, tu ne dois pas me suivre »,
lui ai-je dit en l'embrassant très tendrement comme
pour un adieu. Ma chère Geneviève non plus ne
peut se satisfaire de l'apparence. Je l'aime bien.
C'est pour elle que j'écris ici. C'est à elle que je
lègue ce cahier si je dois ne pas revenir...

ROBERT

A

ERNEST ROBERT CURTIUS

Cuverville, 5 septembre 1929.

Mon cher ami,

Une lettre de vous, après lecture de mon École des Femmes, m'exprimait vos regrets de ne connaître le mari de mon « héroïne » qu'à travers le journal de celle-ci.

« — Combien l'on souhaiterait, m'écriviez-vous, de pouvoir lire, en regard de ce journal d'Éveline, quelques déclarations de Robert. »

Ce petit livre répond peut-être à votre appel. Il est tout naturel qu'il vous soit dédié.

PREMIÈRE PARTIE

Monsieur,

Encore que mon premier sentiment, à la lecture de votre *École des femmes*, ait été l'indignation, je ne me permettrai pas de vous en vouloir à vous personnellement. Vous avez jugé bon de livrer au public le journal intime d'une femme, journal que celle-ci n'aurait jamais consenti d'écrire si elle eût pu se douter du sort qui lui serait fait un jour. La mode est aux confessions, aux révélations indiscrètes, sans souci du préjudice matériel ou moral que ces indiscrétions peuvent causer aux survivants, sans souci non plus de leur déplorable exemple. Je laisse à votre conscience (nous en avons tous une) le soin d'examiner s'il vous appartenait vraiment d'aider à une publication si nettement désobligeante pour un tiers, et, la couvrant de votre nom, d'en tirer à vous gloire... et profit. Ma fille vous y invitait, me répondrez-vous ? J'exprimerai plus loin ce que je pense de sa conduite. Je sais d'autre part, et par vos propres aveux, que vous attachez volontiers plus de poids à l'opinion des jeunes gens qu'à celle de leurs parents. Libre à vous ; mais, en l'occurrence, nous voyons où cela mène ; et où cela mènerait si plus de gens vous ressemblaient, ce qu'à Dieu ne plaise ! Suffit.

Vous étonnerai-je beaucoup si je vous dis que je ne suis pas le seul à ne consentir point à me reconnaître dans l'être inconséquent, vain, sans importance, que ma femme a portraicturé. « Protester, c'est s'avouer atteint par l'injure », a dit un ancien. Quand bien même l'injure m'aurait atteint, je serais seul à le savoir, puisque mon nom n'a jamais été prononcé. Si je dis tout cela, c'est pour que vos lecteurs comprennent que ce n'est nullement le besoin de réhabilitation qui me fait aujourd'hui prendre la plume, mais bien uniquement un souci de vérité, de justice et de remise au point.

L'opinion se forme plus facilement, mais plus injustement aussi, après l'audition d'un seul témoin qu'après qu'on a prêté l'oreille aux témoignages contradictoires. Après avoir couvert de votre nom l'*École des femmes*, c'est l'*École des maris* que je vous propose ; je fais appel à votre dignité professionnelle pour publier, en pendant à cet autre livre et dans les mêmes conditions de présentation et de lançage, la réfutation que voici.

Mais, avant d'entrer en matières, j'en appelle aux honnêtes gens. Que pensent-ils, je le leur demande, d'une jeune fille qui, sitôt après la mort de sa mère, s'empare des papiers intimes de celle-ci, avant même que le mari n'en ait pu prendre connaissance ? Vous avez écrit quelque part, il m'en souvient : « J'ai les honnêtes gens en hor_

reur », et sans doute applaudissez-vous aux gestes
hardis où vous pourriez reconnaître l'influence de
vos doctrines. Dans l'audace éhontée dont ma
fille fit preuve, je vois le triste résultat de l'éducation « libérale » qu'il plaisait à ma femme de
donner à nos deux enfants. Mon grand tort fut
de lui céder, selon mon habitude, par crainte du
despotisme et par horreur des discussions. Celles
que nous eûmes à ce sujet furent des plus graves,
et je m'étonne de n'en trouver point de traces dans
son journal. J'y reviendrai.

Que l'on ne s'attende pourtant pas à me voir
revenir sur tous les points où le témoignage de ma
femme me paraît inexact ? Et en particulier sur
certaines insinuations auxquelles je croirais au-
dessous de ma dignité de répondre : celles qui ont
trait à mon courage patriotique et à ma conduite
pendant la guerre. Éveline ne semble du reste pas
se rendre compte que, douter que j'aie vraiment
mérité ma citation, c'est jeter nécessairement un
discrédit sur l'honorabilité ou la compétence des
chefs qui me l'ont accordée. Les phrases de moi
qu'elle cite, à ce sujet, les ai je vraiment dites ?
Sincèrement, je ne le crois pas. Ou, si je les ai
dites, ce n'est pas avec le ton et les intentions que
sa malignité leur prête. En tout cas, je n'en ai pas
gardé souvenir. Et je ne l'accuse pas à mon tour
d'avoir volontairement et sciemment falsifié mon
personnage. (Je ne l'accuse de rien.) Mais je crois
qu'à un certain degré de prévention (que les Anglais
appellent si bien : *prejudice*) nous entendons sincèrement autrui dire ce que nous nous attendons
à l'entendre dire, et que nous obtenons, en quelque

sorte, des paroles de lui que le souvenir n'aura
même pas à déformer.

Ce dont, par contre, je me souviens fort bien,
c'est que je sentais qu'Éveline en était arrivée à
ce point que, quoi que ce soit que je disse, le son
que mes paroles feraient dans son âme serait le
même. Elle ne pouvait plus m'entendre que mentir.

Mais mon intention, je l'ai dit, n'est point de me
défendre. Je préfère raconter simplement à mon
tour mes souvenirs de notre vie commune. Je parlerai en particulier de ces vingt années que son
journal passe sous silence. Ma tâche est ardue, car
il me semble sentir, tandis que j'écris, se pencher
sur mon épaule le lecteur à l'affût du moindre mot
où se révèlent ma « fourberie », ma « duplicité », etc.
(ce sont les mots dont se sont servis les critiques).
Pourtant, si je surveille trop mon écriture, je risque
de fausser ma ligne et de donner dans le piège de
l'apprêt, au moment même et d'autant plus que je
m'applique à l'éviter... La difficulté n'est pas
mince. Je n'en triompherai, ce me semble, qu'en
n'y pensant point ; qu'en écrivant au courant de
la plume ; qu'en repartant à pied d'œuvre ; qu'en
ne tenant pas compte de ce qu'a pu dire de moi
Éveline, ni penser de moi le public. Ne suis-je pas
un peu en droit d'espérer que le public voudra bien
faire de même ; je veux dire : n'apporter point, en
me lisant, un jugement trop préconçu ?

Une autre chose me gêne, il faut bien que je
l'avoue. Les critiques ont loué à l'envi le style de
ma femme. Et j'étais loin de me douter qu'Éveline
pût si bien écrire. Je n'en pouvais guère juger, car,
comme nous vivions toujours ensemble, je n'avais

point à recevoir de lettres d'elle. Suprême éloge :
on a même été supposer que ce journal avait été
écrit par vous, M. Gide, qui¹... Certes, les pages
que voici ne peuvent point aspirer à donner le
change. Si j'ai pu nourrir, dans ma jeunesse, quelques prétentions littéraires, je les ai vite résignées
(pour parler comme vous). Et tenez, à ce sujet,
pourriez-vous m'expliquer pourquoi tous les critiques (du moins ceux que j'ai lus) me présentent
comme un poète raté ? alors que non seulement je
n'ai jamais écrit de vers (du moins depuis mon
temps de rhétorique, où, péniblement, j'avais
extrait de moi quelques sonnets), mais encore jamais
souhaité d'en écrire. Est-ce ma faute à moi, si
Éveline m'a d'abord cru plus de dons que je n'en
avais, et peut-on faire grief à quelqu'un de ne
point être Racine ou Pindare, simplement parce
qu'une amoureuse le prenait pour tel ?... Je voudrais insister là-dessus, parce que je crois que c'est
là la raison de cruels mécomptes, tant en amitié
qu'en amour : ne pas voir l'autre aussitôt tel qu'il
est, mais bien se faire de lui d'abord, une sorte
d'idole que, par la suite, on lui en veut de ne pas
être, comme si l'autre en pouvait mais. Du reste,
moi non plus, d'abord, je ne voyais point Éveline
telle qu'elle était. Mais qu'était-elle donc ? Elle ne
le savait pas elle-même. Elle était celle que j'aimais.
Et, aussi longtemps qu'elle m'aima, elle s'efforça
de ressembler à mon idole et s'orna des vertus que
je lui croyais, qu'elle savait devoir me plaire. Aussi
longtemps qu'elle m'aima, elle ne s'inquiéta pas

---

1. Trois lignes supprimées.

de se connaître ; elle ne souhaitait que de se confondre avec moi... Mais nous touchons ici, je crois, à un problème d'intérêt très général et très grave. C'est pour tenter de l'élucider que j'écrirai ce qui va suivre. Je voudrais d'abord dire un peu qui j'étais avant de la connaître. Ceci aidera sans doute à comprendre ce qu'Éveline devint pour moi.

Mon enfance n'a pas été très heureuse. Mon père tenait un magasin de quincaillerie, dans une des rues les plus animées de Perpignan. Je n'avais que douze ans lorsqu'il mourut, laissant tout le poids de son négoce à ma mère qui n'entendait pas grand'-chose aux affaires et que je crois que son premier commis grugeait. Ma sœur, de deux ans plus jeune que moi, était de santé délicate et nous la perdîmes quelques années plus tard. Je vivais entre ces deux femmes, fréquentant peu les garçons de mon âge, que je trouvais brutaux et vulgaires, et ne connaissant guère d'autres distractions que d'aller tous les dimanches, en compagnie de ma mère et de ma sœur, déjeuner chez une vieille tante célibataire qui vivait dans une sorte de grand mas, à trois kilomètres de Perpignan. Ma sœur et moi nous caressions ses chiens et ses chats ; nous allions pêcher des poissons rouges dans un bassin oblong, au fond d'un petit jardin, surveillés de loin par ma mère et ma tante. Nous amorcions nos lignes avec de la mie de pain parce que les vers nous dégoûtaient et que nous craignions de nous salir. C'est peut-être pourquoi nous rentrions toujours bredouilles. Nous recommencions néanmoins chaque dimanche

et ne quittions nos lignes que lorsque la tante nous
appelait pour le goûter. Ensuite une partie de loto-
dauphin nous menait jusqu'à l'heure du départ.
La vieille calèche, qui le matin était venue nous
prendre, nous remenait à Perpignan pour dîner.

Cette tante, qui mourut la même année que ma
sœur, nous laissa sa fortune qui était inespérément
belle ; ce qui permit à ma mère de se reposer enfin
après avoir liquidé son fonds de commerce, et à
moi de pousser plus avant mes études.

J'étais un assez bon élève. Pourquoi n'osé-je pas
dire : un très bon ? C'est que l'application, aujour-
d'hui, n'est plus de mode ; les dons plutôt sont en
faveur. J'étais extraordinairement appliqué et,
aussi loin qu'il me souvienne, je me revois tout
dominé par la prépondérante idée du devoir. C'est
aussi que j'aimais ma mère et voulais lui épargner
tout souci. Avant l'héritage de ma tante, mon
instruction nous aurait coûté trop cher, sans la
bourse que je pus obtenir. Notre vie était inexpri-
mablement monotone et morne, et je ne reviendrais
pas volontiers sur ce passé, si ce n'est pour évoquer les douces figures de ma mère et de ma sœur
qui fermaient l'horizon de mon cœur. Toutes deux
étaient très pieuses. Mes sentiments religieux faisaient partie, me semble-t-il, de mon amour pour
elles. Je les accompagnais à la messe chaque dimanche, avant que la calèche ne vînt nous emmener
chez ma tante. J'écoutais fort docilement les recom-
mandations et les conseils de l'abbé X..., qui s'intéressait à nous trois, et je veillais à n'avoir pas
une pensée que je ne fusse prêt à lui dire et qu'il
ne pût approuver.

Ma sœur avait seize ans quand elle mourut ;
j'en avais alors dix-huit. Je venais d'achever mes
premières études, et l'héritage de ma tante m'eût
permis d'aller suivre des cours à Paris ; mais l'idée
de l'isolement où j'aurais laissé ma mère me fit
préférer Toulouse dont la proximité me permettait
de fréquents retours à Perpignan. La préparation
des premiers examens de droit me laissait beaucoup de liberté, que je ne songeais à employer
qu'en allant retrouver ma mère. Je lisais beaucoup,
mais pouvais aussi bien lire près d'elle. Depuis la
mort de ma tante, elle ne voyait plus que moi.
L'image de ma sœur restait entre nous ; cette
image m'accompagnait sans cesse et je crois que
je lui dois, autant qu'aux conseils de l'abbé X...,
cette horreur des plaisirs faciles où je voyais mes
camarades se laisser entraîner. Toulouse est une
ville assez grande pour offrir aux jeunes gens dissi-
pés maintes occasions de chute. Je proteste aujour-
d'hui, comme je protestais hier, contre ces théories
modernes qui tendent à diminuer notre vertu en
prétendant que les seuls désirs auxquels on résiste
sont ceux qui ne sont pas bien forts... Je veux
croire pourtant que les secours de la religion sont
indispensables à l'humaine faiblesse. Je les recher-
chai. Et c'est aussi pourquoi je ne pris pas orgueil
de ma résistance. Au surplus je fuyais les entraînements, les mauvaises fréquentations et les lectures
licencieuses. Et même je n'aurais pas abordé ce
sujet s'il n'était besoin de faire comprendre ce que
devint pour moi Mlle X... aussitôt que je la ren-
contrai. Je l'attendais.

Certainement je me rends compte aujourd'hui

du danger d'une pareille attente. Un jeune homme
aussi pur que je l'étais avec l'aide de Dieu, centra-
lisant soudain sur une femme unique toutes ses
aspirations latentes, risque d'auréoler à l'excès
celle dont il s'éprend. Mais n'est-ce point là le propre de l'amour ? Du reste Éveline méritait le culte
que je lui vouai tout aussitôt et je me félicitai de
n'avoir pas jusqu'alors mésusé de mon cœur, que
je pus lui offrir intact.

Mes examens passés assez brillamment, j'avais
quitté Toulouse qui n'offrait plus d'aliment suffi-
sant à mes curiosités intellectuelles. J'ai dit que
la notion du devoir, depuis ma tendre enfance,
dominait ma vie. Mais il m'avait bien fallu comprendre que, si j'avais des devoirs envers ma mère,
j'en avais également d'aussi sacrés envers mon
pays, ce qui revient à dire : envers moi-même, qui
ne songeais qu'à le bien servir. A l'abri désormais
des soucis d'argent, j'étais libre de disposer de
mon temps à ma guise. La peinture et la littérature
m'attiraient, mais je ne me reconnaissais pas des
dons assez marquants, ou du moins assez exclusifs,
pour mener une carrière d'artiste ou de romancier.
Il m'apparut que mon rôle sur cette terre devait
être plutôt de faire valoir les autres et d'aider au
triomphe de certaines idées après que j'en aurais
reconnu la valeur. De ce rôle modeste, libre à certains orgueilleux d'aujourd'hui de sourire. Sitôt
libéré du service militaire, que je fis dans l'artillerie,
ce que je commençai donc à chercher, ce fut ma
propre utilité. J'examinai ce dont avait le plus
besoin la France et commençai de fréquenter à
Paris ceux qui pouvaient me renseigner ou qu'ani-

mait un semblable zéle, outrés autant que moi par
l'état d'insouciance, d'inconscience et de désordre
où s'étiolait notre pays.

Mon beau-père s'étonna, par la suite, que je ne
me sois pas « lancé » (comme il disait) dans la politique, où il affirmait que j'aurais dû réussir. Ses
regrets à ce sujet sont d'autant plus méritoires
que je ne partageais nullement ses idées. Il considérait en effet le présent état de choses, non certes
comme parfait, mais comme parfaitement accep-
table, et prenait son parti de tout, à la Philinte.
Pour moi j'estimais, j'estime encore, que le premier pas vers le mieux consiste à considérer notre
situation politique, d'où dépendent toutes les
autres, comme devant être changée. Et n'était-il
pas naturel que j'eusse souci d'appliquer à notre
pays les maximes qui dirigeaient ma propre conduite et dont j'avais éprouvé le profit ?

La politique offrait, à mon avis, trop d'aléa. Elle
m'eût obligé à des compromissions qui eussent
incliné ma ligne de conduite. Mais ce n'est pas ma
justification que j'écris ici : c'est mon histoire.

Je fréquentais un grand nombre d'hommes de
lettres et d'artistes. J'exerçai la fermeté de mon
caractère à ne me laisser entraîner par eux ni à
écrire, ni à peindre, comme m'y eussent porté mes
goûts naturels. Cette abstention me laissa d'autant
plus libre de goûter la production d'autrui et d'y
aider, non point seulement par des conseils (qui
ne sont pas volontiers accueillis par ceux qui en
auraient le plus grand besoin), mais par certains
appuis que mes relations dans le monde politique
me permettaient d'obtenir (sans compter une aide

plus directe, souvent, et lorsque j'étais sûr que l'artiste n'y pourrait trouver un encouragement à la paresse).

Tous ceux qui ont consenti à se livrer à une étude approfondie de notre pays ont pu constater que les éléments premiers en sont bons, que surtout manque la mise en valeur où excellent nos voisins d'outre-Rhin. L'homme a besoin d'être dirigé, encadré, dominé. Et qu'eussé-je valu moi-même si je ne m'étais laissé guider par quelques idées supérieures et par des principes dont trop nombreux sont aujourd'hui ceux qui cherchent à secouer le joug.

Pour permettre de comprendre à quel genre d'activité je me livrai, rien ne vaut un exemple ; j'en choisis un dont les résultats furent les plus manifestes et les mieux appréciés.

Il m'était apparu que souvent les meilleurs livres, par suite du peu d'esprit pratique de leurs auteurs, ont du mal à atteindre le public de choix qu'ils méritent. Que, par contre, un grand nombre de lecteurs, bien intentionnés mais mal renseignés, passent à côté des plus saines nourritures pour se repaître d'ouvrages souvent fort peu recommandables, qu'une habile réclame a su mettre en temps opportun sous leurs yeux. Je crus pouvoir rendre un réel service à la fois à ce public, à ces auteurs et à leurs éditeurs. Je fis valoir à ces derniers les avantages d'un projet auquel ils s'intéressèrent aussitôt. M'adressant aux meilleurs esprits de ce temps, je constituai un jury chargé de désigner périodiquement les livres qui méritaient d'être servis en pâture à ceux qui voudraient bien com-

prendre les garanties qu'offrait le choix d'un jury
si bien composé. Les Français sont si routiniers, si
confiants dans leurs goûts propres, si accessibles
aux séductions de la mode, que j'eus beaucoup
de mal à les persuader de s'en remettre au jugement d'autorités compétentes. Pourtant, à force
de démarches, je parvins à recruter un nombre
respectable d'abonnés qui permirent d'assurer le
succès de certains ouvrages et de mon entreprise
tout à la fois. J'écartais de ces lecteurs d'élite, par
ce moyen, les livres médiocres ou pervertisseurs,
que mon jury se gardait, il va sans dire, de men-
tionner ; car il est à remarquer qu'un cerveau
rassasié de bons livres ne garde pas beaucoup
d'appétit pour la mauvaise littérature. Le service
que je rendais ainsi ne fut, hélas ! point sensible
aux yeux de ma femme. A chaque nouvelle assem-
blée du jury, Éveline s'informait ironiquement,
non point des titres des ouvrages élus, mais du
menu du repas qui précédait la délibération, repas
excellent il est vrai, offert par les éditeurs et auquel
les membres du jury voulaient bien me convier.

Quant aux livres choisis, Éveline affectait de
ne point désirer les lire ou de les connaître déjà ;
c'est à l'indépendance de son jugement que je
pouvais le mieux mesurer la décroissance de son
amour. Mais ici nous entrons dans le vif même de
la question.

Ce n'est point un journal que j'écris. Les événements que je groupe ici s'échelonnent sur un grand
nombre d'années. Je ne puis dire exactement à
quand remontent les premières manifestations de
cet esprit d'insoumission que je commençai de

remarquer chez Éveline et que, malgré tout mon
amour pour elle, force m'était de blâmer. L'insoumission est toujours blâmable, mais je la tiens
pour particulièrement blâmable chez la femme.
Durant les premières années de notre mariage, et
plus encore au temps de nos fiançailles, Éveline
épousait sans contrôle mes opinions et mes idées,
avec tant de chaleur et une si parfaite aisance que
nul n'aurait pu croire que ces opinions et ces idées
ne lui fussent pas naturelles. Quant à ses goûts en
littérature et en peinture, on eût dit qu'ils m'atten-
daient pour se former, car ses parents n'y entendaient pas grand'chose. Notre entente était donc
parfaite. Je ne m'expliquai ce qui la put troubler
que beaucoup plus tard ; que trop tard, alors que
l'irréparable était fait.

Malgré leurs opinions avancées, qu'ils ne se
gênaient pas pour professer en public, je continuais
d'accueillir à notre foyer conjugal deux amis, le
docteur Marchant et le peintre Bourgweilsdorf, l'un
en raison de son grand talent, que j'étais en ce
temps à peu près seul à reconnaître, l'autre à cause
de son savoir et de certains services qu'il nous avait
rendus. Je ne crois pas à la génération spontanée,
surtout pas dans le cerveau des femmes ; les idées
qui s'y développent vous pouvez être sûr que quelqu'un d'autre les a semées. Je suis prêt à reconnaître ici mes torts : je n'aurais pas dû recevoir
chez moi ces libertaires, malgré toute leur science
et tout leur talent, pas les laisser parler, du moins
en présence d'Éveline. Elle ne cache pas dans son
journal, l'attention qu'elle leur accordait, et,
comme ils étaient mes amis, j'eus d'abord la naïveté

de m'en réjouir. Il est au-dessous de mon caractère
d'être jaloux ; et, à vrai dire, Éveline ne me donnait
pas, Dieu merci, sujet de l'être ; mais n'était-ce pas
trop déjà qu'elle prêtât complaisamment l'oreille
à leurs propos ? Par contre elle cessa d'écouter
ceux de l'abbé Bredel qui eussent fait du moins
un heureux contrepoids. Des discussions s'élevè-
rent entre nous. Comme, d'autre part, elle lisait
beaucoup, et, dédaigneuse de mes conseils, choisissait de préférence les livres susceptibles de
l'enhardir, elle ne craignait plus de me tenir tête.

Nos discussions portaient surtout au sujet de
l'éducation de nos enfants.

J'ai eu maintes occasions d'observer les ravages
de la libre pensée dans les ménages et les discussions qu'elle fomente entre époux. Le plus souvent
c'est le mari qui renie la foi de ses pères, et dès lors
il ne connaît plus de frein au dérèglement de ses
mœurs. Mais je crois que, pour les enfants du moins,
le mal est encore plus grand lorsque c'est la pensée
de la femme qui s'émancipe, car le rôle de la femme
est éminemment conservateur. En vain tâchai-je
de le faire comprendre à Éveline, l'invitant à peser
la responsabilité qu'elle assumait ainsi vis-à-vis de
sa fille en particulier, car cette joie me fut accordée
de voir mon fils écouter de préférence mes conseils.
Quant à Geneviève, plus avide d'instruction que
Gustave, et plus curieuse qu'il ne convient à une
femme, son esprit n'était que trop naturellement
enclin à suivre celui de sa mère sur les sentiers
glissants de l'incroyance. Sous prétexte de la préparer pour ses examens, Éveline l'encourageait
dans des lectures qui désolaient l'abbé Bredel et

qui me faisaient protester contre l'instruction que
l'on donne aux femmes aujourd'hui, dont le plus
souvent elles n'ont que faire. Je crois que leur cerveau n'est point fait pour de pareilles nourritures
et ne sait point fournir un antidote naturel pour
neutraliser ces poisons. Je protestais en vain, finis-
sais par céder, de guerre lasse, désireux de maintenir de mon mieux la paix de notre foyer déjà gravement compromise. Les résultats de cette éducation, hélas ! ont justifié toutes mes craintes. Mais,
comme les plus désastreux écarts de la conduite
de Geneviève ont suivi la mort de ma femme, je
n'ai que faire d'en parler ici, et c'est un sujet sur
lequel il me serait particulièrement pénible de
m'appesantir.

Oui, je l'ai dit, mais je le répète, j'estime que le
rôle de la femme, dans la famille et dans la civili-
sation tout entière, est et doit être conservateur.
Et c'est seulement lorsque la femme prend pleine
conscience de ce rôle que la pensée de l'homme,
libérée, peut se permettre d'aller de l'avant. Que
de fois j'ai senti que la position prise par Éveline
retenait le vrai progrès de ma pensée en me forçant
d'assumer dans notre ménage une fonction qui
aurait dû être la sienne. D'autre part, je lui suis
reconnaissant devant Dieu de m'avoir ainsi d'autant plus encouragé dans la pratique de mes
devoirs, tant religieux que sociaux, et fortifié dans
ma foi. Et c'est pourquoi devant Dieu je lui par-
donne.

Je touche ici à un point particulièrement délicat,
mais que je crois d'une telle importance que l'on
m'excusera si j'y insiste quelque peu. Cette fraî-

cheur, cette virginité, de l'âme autant que du corps,
que tout honnête homme souhaite trouver dans la
jeune fille dont il se propose de faire sa compagne,
Éveline me les offrait exquisement. Pouvais-je
soupçonner, et connaissait-elle elle-même sa vraie
nature, et tout ce que celle-ci pourrait présenter
de rétif lorsqu'elle cesserait d'être dominée par
l'amour ? Le propre de l'amour humain est de nous
aveugler aussi bien sur nous-même que sur les
défauts de l'être qu'on aime ; cette soumission que
j'admirais en Éveline, j'ai pu d'abord (et nous
pûmes tous deux) la croire naturelle, alors qu'elle
n'était due qu'à l'amour. Du reste, je ne souhaitais
pas d'Éveline une autre soumission que celle que
j'imposais moi-même à ma propre pensée. Mais
cette « obéissance de l'esprit », que Mgr de La
Serre déclarait tout dernièrement « plus difficile
peut-être que la réforme des mœurs », ajoutant
très justement : « On n'est pas chrétien sans cela[1] »,
cette soumission intellectuelle qui doit être celle de
tout bon catholique, Éveline cessa bientôt d'y
prétendre ; que dis-je ? Elle prétendit, au contraire,
avoir suffisamment de jugement personnel pour
pouvoir se guider elle-même et se passer de direc-
teur, et cela précisément alors que son esprit pro-
testataire, qui jusqu'à ce moment sommeillait en
elle, commença d'examiner critiquement, c'est-à-
dire de mettre en doute, les directives de ma vie.
Elle m'expliqua certain jour que notre idée de la
Vérité n'était sans doute pas la même et que, tandis
que je continuais à croire à une vérité divine, exté-

1. *Études*, du 20 juillet 1929.

rieure à l'homme, révélée et transmise sous le regard et avec l'inspiration de Dieu, elle ne consentait plus à tenir pour véritable rien qu'elle ne reconnût vrai par elle-même, malgré ce que je pus lui dire : que cette croyance en une vérité particulière mène droit à l'individualisme et ouvre la porte à l'anarchie.

— C'est bien de vous, d'avoir épousé une anarchiste, mon pauvre ami ! me répondit-elle alors en souriant. Comme s'il y avait là de quoi sourire !

Et si encore elle avait gardé ses idées pour elle-même ! Mais non, il lui fallait en semer le germe chez nos enfants ; chez ma fille en particulier qui n'était que trop disposée à les accueillir et qui semblait ne chercher dans l'instruction qu'un encouragement à la libre pensée.

Ces idées dissolvantes qui, dans un cerveau tendre et mal prévenu contre elles, ainsi que l'était le cerveau de ma femme, font lentement leur chemin, je les compare aux termites qui, dans les pays tropicaux, minent et désagrègent avec une surprenante rapidité la charpente des édifices. L'apparence de la poutre reste la même ; l'intérieur est déjà tout vermoulu que rien n'annonce encore la ruine. Avant que l'on n'y ait pris garde, tout s'effondre soudain.

Sur quelle fragilité reposait mon amour ! Si j'eusse pu m'en rendre compte à temps, j'aurais su prendre des mesures pour enrayer le mal, exigé plus de soumission, prohibé certains livres dont le perfide danger me serait mieux apparu si j'avais commencé par les lire moi-même. Mais j'ai toujours pensé que le meilleur moyen d'échapper au mal

est d'en détourner les regards. Il n'en était pas de
même, hélas ! pour Éveline, qui prétendit bientôt
juger de tout par elle-même. Je me reproche vive-
ment ici certaine faiblesse de mon caractère ; mais,
précisément peut-être parce que j'étais respectueux
de l'autorité, de celle en particulier de l'Église, et
par habitude de soumission, je ne sus pas exiger
de moi cet acte d'autorité maritale, que pourtant
me conseillait l'abbé Bredel, que tout mari bien
affermi dans sa croyance doit oser, et qui sans doute
eût retenu l'esprit d'Éveline sur la pente des éga-
rements. Je ne compris que cet acte d'autorité eût
été nécessaire qu'alors qu'il n'était déjà plus opportun et eût risqué de se heurter à une résistance
impie. C'était un soir que je lui faisais la lecture ;
car, en ce temps, je ne désespérais pas encore de
tout au moins contrebalancer l'effet mauvais des
livres que j'avais la faiblesse de ne pas oser lui
interdire. Je lui lisais, dans un tome d'œuvres
posthumes du comte Joseph de Maistre, la belle
notice biographique écrite par son fils. Éveline, qui
venait d'être un peu souffrante, avait dû rester
quelques jours couchée ; elle recommençait à se
lever, mais était encore étendue sur un sofa. Une
même lampe éclairait mon livre et une pièce de la
layette qu'elle préparait pour la naissance de notre
second enfant, et qu'elle ornait de broderies.
C'était en 1899. Geneviève avait alors deux ans.
Sa venue au monde avait été facile. Celle de Gustave s'annonçait moins bien. Éveline se sentait
anormalement fatiguée ; un peu d'albuminurie
était cause sans doute d'une très déplaisante
bouffissure des traits de son visage.

— Comment pouvez-vous aimer encore quelqu'un de si laid ? me disait-elle ; et je protestais aussitôt que je reconnaissais dans ses yeux son âme, qui, elle, ne pouvait changer. Mais je devais bien m'avouer que son regard n'était déjà plus le même, et que cette âme je ne la reconnaissais déjà plus. J'y cherchais de l'amour encore ; mais j'y sentais surtout de la résistance et parfois presque une sorte d'opposition. Cette opposition, que je me refusais encore à admettre, se manifesta brusquement ce soir-là d'une manière particulièrement déplaisante. A un passage émouvant de ma lecture, Éveline lâcha brusquement sa broderie, saisit son mouchoir qu'elle porta à ses lèvres, cachant à demi son visage. Elle riait. Je posai mon livre et la regardai fixement.

— Pardonne-moi, dit-elle, j'ai tâché de me retenir, mais c'est plus fort que moi. Et tout le haut de son corps était secoué d'un fou rire qu'il apparaissait bien qu'elle ne pouvait pas maîtriser.

— Je ne vois pas ce qu'on peut trouver de comique dans... commençai-je, de mon plus calme, et même avec une nuance d'étonnement et de sévérité.

Elle ne me laissa pas achever.

— Oh ! rien de comique dans ce que tu lis, dit-elle ; bien au contraire. Mais c'est le ton pénétré que tu prends...

Il me faut copier ici la phrase qui déchaînait chez ma femme cet accès d'intempestive hilarité :

« Pendant tout le temps que le jeune Joseph de Maistre passa à Turin pour suivre les cours de droit de l'Université, il ne se permit jamais la lecture d'un livre sans avoir écrit à son père ou a sa mère à Chambéry, pour en obtenir l'autorisation. »

— On sent, reprit-elle, que tu voudrais tellement me faire trouver cela admirable.

— Et je vois que je n'y parviens guère, dis-je avec plus de tristesse que de dépit. Alors, toi, tu trouves cela ridicule ?

— Immensément.

Elle ne riait plus, mais me regardait à son tour gravement, presque tristement ; et c'est moi qui détournai mes yeux, par crainte de découvrir dans ce regard des sentiments que je ne pusse pas approuver. Je voulus me montrer conciliant, sachant qu'avec les femmes il faut toujours user de souplesse et qu'on risque de tout perdre en demandant trop.

— Le comte de Maistre nous offre, lui dis-je, ce que l'on pourrait appeler un cas-limite. C'est du reste ce qui fait son importance et sa grandeur. J'admire l'intransigeance de cette figure ; elle tranche sur le reste des hommes prêts à toutes les concessions ; trop nombreux sont ceux qui prennent leur parti et s'accommodent du relâchement des mœurs, ce qui est une façon d'y aider. Mais je reconnais qu'on ne peut exiger d'autrui les vertus auxquelles soi-même on aspire.

— En tout cas c'est fort joliment dit, accorda-t-elle, en riant de nouveau, mais cette fois d'un rire ouvert et cordial, un rire que je ne devais plus longtemps entendre, du moins plus de cette qualité pure et charmante, un rire qui plus tard devait se charger d'ironie et de ce que longtemps encore je

me refusai à reconnaître pour du mépris, où longtemps je ne voulus voir qu'un sentiment de supé-
riorité, toujours un peu choquant chez une femme.
Quoi qu'il en fût, la cordialité de ce rire me rassura.
Je voulus me montrer conciliant.

— Ces derniers temps tu t'es accordé, pour tes
lectures, des libertés, lui dis-je, que j'espère bien
ne pas te voir accorder à nos enfants.

— J'espère bien, me répondit-elle abruptement,
qu'ils sauront les prendre d'eux-mêmes.

Il y avait du défi dans sa voix et je sentais que
cette phrase excédait sa pensée. Je ne voulus y
voir qu'une boutade, mais que je me devais de ne
pas laisser sans riposte :

— Heureusement que je suis là, dis-je un peu
sévèrement. Le rôle des parents est de protéger
leurs enfants. Ils pourraient s'empoisonner sans le
savoir, céder à de malsaines curiosités.

Elle m'interrompit :

— Toi, tu as toujours fait de l'incuriosité une
vertu.

— Les dangers de la curiosité m'apparaissent
suffisamment en toi, repris-je. L'homme doit être
curieux de ce qui peut, non ébranler sa foi, mais
l'affermir.

La protestation qui manifestement montait à
ses lèvres, Éveline ne la formula point. Je vis ses
lèvres se fermer, se serrer comme pour s'opposer à
une pression intérieure, comme pour refouler en
elle-même des pensées qu'elle me cacherait désormais et se refuserait à me laisser combattre. Je me
tus aussi, car, en face de ce silence, que me restait-
il à faire, sinon de prier Dieu et la Sainte Vierge,

9

remettant entre leurs mains une protection qui
m'échappait. C'est ce que je fis abondamment ce
même soir.

Notre conversation avait du reste été plus longue,
car je me souviens de lui avoir encore dit ce soir-
là, au sujet de Joseph de Maistre et de sa soumission
aux jugements de ses parents :

— L'homme obéit toujours à quelqu'un ou à
quelque chose. Mieux vaut obéir à Dieu qu'à ses
passions ou ses instincts ! propos qui m'avaient été
suggérés par quelques réflexions de l'abbé Bredel ;
et sans doute, précisément parce qu'elles ne sont
pas proprement miennes, m'est-il permis de donner
ces réflexions en parfait exemple de la profondeur
à laquelle peut prétendre d'atteindre une pensée
respectueuse et soumise.

Et j'ajoute encore ceci qui m'apparaît ce soir
dans une sorte d'illumination, due certainement
à l'état d'oraison où je me suis maintenu ces temps
derniers avec le secours de Dieu : toute vraie pensée
n'est qu'une réflexion, qu'un reflet. Réfléchir,
comme le mot l'indique, c'est refléter Dieu. D'où
il suit que toute pensée véritable est soumise à
Dieu. L'homme qui croit penser par lui-même et
qui détourne de Dieu son cerveau-miroir cesse à
proprement parler de *réfléchir*. La pensée la plus
belle est celle où Dieu, comme dans un miroir, peut
proprement se reconnaître.

Ces dernières vérités ne m'apparaissent malheureusement qu'aujourd'hui ; si j'en avais pu
faire part à Éveline ce soir susdit, il me semble
qu'elles eussent été d'assez de vertu pour la convaincre. Hélas ! combien souvent les paroles que

nous aurions dû dire ne nous viennent-elles à l'esprit
que trop tard !

Les douleurs de l'accouchement commencèrent
trois jours après cette soirée qui pour moi fut
mémorable, car j'y pris pour la première fois
conscience très nette de cette fissure qui sans doute
avait depuis longtemps déjà commencé de se produire entre Éveline et moi, que déjà je percevais
vaguement, mais à laquelle jusqu'à présent je me
refusais de prêter attention, sachant trop que,
souvent, pour les sentiments, c'est l'attention que
nous leur accordons qui fortifie leur existence et
que cessent d'être ceux que nous nous refusons à
considérer. C'est par l'examen de l'inavouable que
nombre de romanciers d'aujourd'hui exercent une
si préjudiciable influence. Mais cette fissure, qui
devait devenir un gouffre bientôt, je ne pouvais
plus ne pas la voir, ne pas en tenir compte...
J'étais en ce temps fort occupé et ne me trouvais
pas à la maison au moment des premières douleurs.
Je m'occupais alors d'une nouvelle affaire dont je
venais d'avoir l'idée et que mon activité fit si pleinement réussir que je crois bon d'en dire ici quelques mots. Cette idée se greffait sur cette autre,
dont j'ai déjà parlé, d'un choix de livres recommandables désignés par un jury compétent. Il me
parut que les lecteurs de ces livres accepteraient
volontiers d'être guidés également dans le choix
de leurs fournisseurs, et que je rendrais ainsi réel
service à eux ainsi qu'aux fournisseurs. J'allai
trouver ceux-ci, leur fis valoir les avantages qu'ils

trouveraient à s'adresser, moyennant des conditions que je fixerai, à une clientèle d'élite, déjà
constituée ; j'allai trouver les éditeurs des livres
désignés par le jury, qui s'engagèrent à encarter
dans les volumes les prospectus de ces maisons
dignes d'être recommandées. Cette affaire qui, dis-
je, réussit au delà de toute espérance et prit bientôt
une ampleur que je n'avais osé prévoir, me demanda
quantité de démarches.

Quand je rentrai à la maison ce soir-là, les douleurs avaient commencé...

DEUXIÈME PARTIE

J'ai écrit au courant de la plume ; mais voici que je m'aperçois d'une très curieuse erreur de ma mémoire, ou du moins d'un déplacement dans le temps de cette conversation que je viens de rapporter, avec une grande exactitude sans doute, mais qui se situe, non point au moment de la naissance de Gustave, mais bien sept ans plus tard, lors d'une troisième grossesse d'Éveline, qui n'eut qu'une conclusion très malheureuse. Cette curieuse erreur est sans doute due à l'affaiblissement de ma mémoire, conséquence de l'accident d'auto dont je fus victime en juillet 1914 ; mais également à des causes beaucoup plus profondes. À la lueur du présent, le passé s'éclaire et cette fissure entre nous, dont je parlais, mon esprit aujourd'hui, comme malgré moi, la prolonge en arrière ; elle existait déjà sans doute, mais je ne savais pas encore la voir. Il m'est du reste difficile de m'attacher au développement historique d'une âme, laquelle m'apparaît toujours une et conséquente avec elle-même ; mon souvenir voudrait la garder telle qu'elle vivra dans l'éternité. Et de même que

la repentance efface la faute et blanchit un passé
pervers, l'erreur projette de l'ombre jusque sur un
passé limpide, en attendant la rédemption du Seigneur ; car je crois, je sais, qu'Éveline, dans ses
derniers instants, a reconnu ses fautes, s'est réconciliée avec Dieu à temps pour communier encore,
de sorte que je puis espérer, par la miséricorde de
Dieu, la retrouver par delà le tombeau telle que je
l'aimais aux premiers jours de notre union, telle
que je l'aime encore, car depuis longtemps j'ai par-
donné tout ce qu'elle me fit souffrir.

Une autre réflexion à laquelle m'amène la constatation de cette erreur de dates est celle-ci : j'avais
écrit qu'Éveline s'était plu à semer dans l'esprit
de sa fille les germes de la libre pensée. A y bien
réfléchir il me semble aujourd'hui que c'est l'esprit
libertin de Geneviève, si enfant qu'elle fût encore,
qui contamina l'âme de sa mère. Geneviève avait
neuf ans alors, mais, si loin que je remonte en
arrière, je ne la vois que révoltée. C'est elle qui,
sans cesse et à propos de tout demandant des explications, accoutuma sa mère à en chercher, à en
fournir, au lieu de répondre à ses « pourquoi ? »
ainsi qu'il sied, ainsi que je faisais moi-même :
« Parce que je te le dis ». J'ajoute aussitôt que
Gustave, par contre, manifesta dès son plus jeune
âge la soumission la plus respectueuse, acceptant
tout ce que je lui disais, sans jamais mettre en
doute mes paroles. Il était même plaisant d'entendre cet enfant, lorsque sa mère cherchait à éveiller
ses doutes, à provoquer ses questions, lui répondre
ingénument et avec assurance : « Papa l'a dit »,
tout comme j'opposais aux inquiètes investigations

d'Éveline les instructions irréfutables des ministres du Très-Haut.

Si l'on s'étonne qu'un si jeune enfant (je parle à présent de Geneviève) puisse être de quelque influence sur sa mère — et vraiment l'on n'aurait trop su dire si Éveline, qui se reconnaissait en sa fille, ne se servait point de la personnalité insoumise de celle-ci pour s'encourager dans cette dangereuse voie, et si elle l'y poussait ou s'y laissait entraîner par elle, tant l'entente entre elles deux était étroite et comme préétablie — du moins l'influence de mes deux amis le docteur Marchant et le peintre Bourgweilsdorf était-elle indéniable. J'en ai déjà parlé, mais je crois bon d'y revenir. Car si j'ai mis en avant jusqu'à présent surtout la libre pensée d'Éveline, ce n'est pas cette forme que son insoumission prit d'abord, mais bien, au reflet de Bourgweilsdorf, une forme beaucoup plus perfide, car elle se dissimulait alors sous l'apparence d'une vertu : la sincérité. Bourgweilsdorf n'avait que ce mot à la bouche ; il s'en servait comme d'une arme, défensive contre toute accusation d'inutile hardiesse et d'étrangeté, et offensive aussi bien contre la tradition et l'école. Du reste il n'était pas sans vénérer quelques grands maîtres ni sans se soumettre à leur enseignement, ainsi que je le faisais observer à Éveline et à lui-même. Mais il confondait volontiers avec l'hypocrisie, avec l'insincérité du moins, tout effort de perfectionnement et toute subordination de la sensation et de l'émotion à un idéal. Et je concède qu'il devait, en tant qu'artiste, à cette recherche assidue de la plus sincère expression, l'accent particulier et neuf de sa peinture ; je

l'accorde d'autant plus volontiers que, cette peinture, je fus un des premiers à en reconnaître la
valeur. Mais par un glissement qui ne tarda pas à
se produire, Éveline commença d'introduire cette
notion de sincérité dans la morale, où je ne dis pas
qu'elle n'ait que faire, mais où elle peut devenir
extrêmement dangereuse sitôt qu'elle n'est plus
balancée et combattue par une notion supérieure
du devoir. L'on eût dit bientôt qu'il suffisait qu'un
sentiment fût sincère, pour mériter d'être approuvé ;
comme si l'être naturel, que Notre-Seigneur appelle
si bien « le vieil homme », n'était pas précisément
celui même que nous devons combattre et supplan-
ter. C'est là ce que cessa d'admettre Éveline, qui
se refusait à comprendre que je pusse préférer en
moi celui que je voulais être et que je tâchais de
devenir, à celui que naturellement j'étais. Sans
me taxer précisément d'hypocrisie, tout geste ou
toute parole par lesquels je m'efforçais d'entraîner
vers le bien mon être intérieur lui devint suspect.
Et comme la vertu lui était, plus qu'à moi, naturelle, et qu'il n'y avait pas en elle de mauvais
instincts à refréner (sinon, peut-être, je l'ai dit,
celui de la curiosité d'esprit), je ne parvenais pas
à la persuader du danger qu'il peut y avoir à
s'abandonner à soi-même, à s'accepter simplement
pour ce que l'on est, c'est-à-dire, somme toute,
pour pas grand'chose. J'eusse volontiers redit à
Éveline cette exhortation que je sais gré à l'abbé
Bredel de m'avoir fait lire dans une des *Lettres
spirituelles* de Fénelon : « Vous avez besoin qu'on
retienne les saillies continuelles de votre imagination trop vive : tout vous amuse, tout vous dis-

sipe, tout vous replonge dans le naturel ! » Et pourtant, non de moi, mais de celui que je voulais être, c'est de celui-là qu'Éveline s'était éprise. Il semblait à présent qu'elle me reprochât tout à la fois de vouloir le devenir et de n'y pas être encore parfaitement parvenu.

J'ajoute que le culte de la sincérité entraîne notre être vers une sorte de pluralité fallacieuse, car dès que nous nous abandonnons aux instincts, c'est pour apprendre que l'âme qui ne se veut soumettre à aucune règle est forcément inconséquente et divisée. Le sentiment du devoir exige et obtient de nous l'unité sans laquelle notre âme ne peut prendre conscience d'elle-même et ne peut donc être sauvée. Dès lors peu importe que l'âme ne se sente pas chaque jour et à tout instant égale et pareille ; elle flotte peut-être, mais autour d'un axe certain ; l'idée du devoir la rassemble. C'est ce que je tâchais de faire comprendre à Éveline ; en vain, hélas !

L'influence du docteur Marchant, quoique d'un ordre différent, rejoignait celle de Bourgweilsdorf d'une manière subtile que j'espère pouvoir éclairer. Je l'entendis citer un jour cette parole de je ne sais quel médecin célèbre : « Il y a des malades ; il n'y a pas de maladies. » Et l'on comprend de reste ce que ce médecin et Marchant entendaient par là : que tout à la fois les maladies n'existent point à l'état abstrait, en dehors de l'homme, et que chaque homme en qui et par qui la maladie se fait connaître, modifie cette maladie et la réfracte, pour ainsi dire, selon son humeur et ses dispositions particulières. Mais, et c'est bien là que je vois le danger de l'instruction chez les femmes, Éveline poussant à l'absurde cette constatation, si simple sous son apparence paradoxale, assimilant les idées aux maladies, n'admit bientôt plus de Vérité en dehors de l'homme et considéra nos âmes non plus comme des vases pour la recevoir, mais bien comme de petites divinités susceptibles de la créer. En vain l'avertissais-je de ce qu'il y a d'impie dans cette intronisation de sa propre personne, lui rappelais-je le mot du démon : « *Et eritis sicut Dii.* » Hélas l'athéisme de Marchant l'encourageait ; Éveline s'autorisait de lui, qui, je l'ai dit, est dans sa partie un homme de grande valeur, pour considérer toute vérité en fonction de l'homme, et non l'homme en fonction de Dieu.

Certain soir, pourtant, je crus que j'allais ressaisir Éveline. La formation du jury que j'avais institué, comme je l'ai précédemment rapporté, pour désigner les meilleurs livres, m'avait permis d'entrer en relations avec un éminent mathématicien-philosophe, que, par discrétion, je ne nommerai point car il vit encore et je ne voudrais pas blesser sa modestie. Je l'avais invité à dîner en compagnie de quelques personnalités notoires, dont le docteur Marchant. La conversation, après le repas, porta sur des questions de relativisme, de subjectivisme, et je ne fus pas peu intéressé d'entendre le mathématicien énoncer ceci : que le monde des chiffres et des formes géométriques n'existe pas, il est vrai, en dehors du cerveau qui le crée ; mais que ce monde, une fois créé par le savant, lui échappe, obéit à des lois qu'il n'est pas au pouvoir du savant de modifier, de sorte que

cet univers né de l'homme rejoint un absolu dont
l'homme lui-même dépend. Et ceci prouve abondamment, ajoutai-je, lorsque, après que nos convives nous eurent quittés, je me retrouvai seul avec
Éveline, que le cerveau de l'homme est créé par
Dieu pour le connaître, comme le cœur de l'homme
est créé par Dieu pour l'aimer.

Mais le cerveau d'Éveline est ainsi fait qu'elle
sut tirer argument de cette vérité même pour per-
sévérer dans l'erreur. Elle avait écouté X... avec
l'attention la plus vive et je pouvais lire sur son
visage la profonde impression qu'elle en ressentait.
Mais, le lendemain même, elle me dit :

— Si ma raison m'est donnée par Dieu, elle n'a
que faire d'écouter d'autres lois que celles que
Dieu lui impose.

Un rationaliste n'eût pas raisonné autrement.

— Et dans ce cas, il n'est même plus besoin de
parler de Dieu, lui dis-je.

— Peut-être bien peut-on s'en passer, répondit-
elle ; et, en effet, à partir de ce jour elle affecta de
ne plus se servir de ce mot, qui, pour elle, semblait
avoir perdu tout sens.

Pauvre Éveline ! Je ne cessai pourtant pas de
l'aimer. C'est à elle que je devais, que j'avais dû,
tout ce dont j'étais capable et d'amour et de poésie.
Mais elle changeait, au point que j'en venais à me
demander ce que j'aimais encore en elle. Son
visage avait perdu son éclat ; cette chaleur du
regard qui, dans les premiers temps, faisait fondre
mon cœur, je la cherchais en vain ; sa voix avait

cessé d'être craintive ; son maintien même était
plus assuré. Pourtant, c'était ma femme et je me
redisais que ce que j'aimais, ni le temps, ni elle-
même ne le pourraient changer. Et ceci me faisait
comprendre que ces changements, qui peuvent être
parfois de véritables dégradations, restent, après
tout, étrangers à l'âme. C'est l'âme même d'Éveline
dont mon âme s'était éprise, à laquelle elle s'était
liée par les liens les plus indissolubles. Mais quelle
torture affreuse de voir s'enfoncer dans la nuit de
l'erreur, et de jour en jour davantage, celle dont on
a fait sa compagne, sa femme pour l'éternité.

— Que veux-tu, mon ami, me disait-elle alors,
avec ce qui lui restait encore de tendresse, nous ne
nous dirigeons pas vers le même ciel.

Et je protestais qu'il ne pouvait pas plus y avoir
deux ciels qu'il n'y avait deux Dieux, et que ce
mirage vers lequel elle s'acheminait, qu'elle appelait
son ciel, ne pouvait être que *mon enfer*, que l'enfer.

Tout ceci, est-il besoin de l'écrire, me rappro-
chait de Dieu d'autant plus, et m'aidait à comprendre l'incomparable qualité de cet amour de Dieu
pour Dieu, qui, Lui du moins, ne peut changer.
Me souvenant de la parole de l'Apocalypse : « Heureux ceux qui meurent dans le Seigneur », je disais
à mon tour : « Heureux ceux qui s'aiment en le
Seigneur », et me répétais ces mots devenus pour
moi si nostalgiques, car ce bonheur, Éveline ne
devait, hélas ! plus le connaître.

J'ai dit par quelle singulière confusion, je ratta-
chais à la seconde grossesse d'Éveline certaine

conversation qu'il me faut reporter sept ans plus tard, alors qu'il ne restait déjà plus à Éveline beaucoup de chemin à faire vers la révolte et l'impiété. Cette troisième grossesse mit ses jours en danger, et je pus espérer, durant quelques jours, que l'idée de la mort la ramènerait à des sentiments meilleurs. Notre vieil ami l'abbé Bredel, qui l'espérait également, s'empressait auprès d'elle. Éveline en était à son huitième mois d'attente lorsqu'une mauvaise grippe s'empara d'elle et bientôt ruina nos espoirs. Éveline mit au monde, avant terme, un pauvre corps sans vie. Dès le lendemain la fièvre puerpérale se déclara qui la maintint plus de huit jours entre la vie et la mort. Malgré 40 degrés de fièvre, elle gardait toute sa connaissance, et malgré la ferme confiance que gardait le docteur Marchant de la sauver, elle se savait en danger.

— La première condition de la guérison, c'est d'y croire, avait dit Marchant, qui, partant de là, s'ingéniait à lui cacher l'extrême gravité de son cas et l'entretenait dans une illusion qu'il estimait salutaire.

— Dans des cas de ce genre, combien de femmes s'en tirent ? lui avais-je demandé.

— Une sur dix, avait-il dit, ajoutant aussitôt : mais cette dixième-là, c'est Éveline, avec tant d'autorité et d'assurance que j'en pus être réconforté. Pourtant, j'avais tenu à ce que l'abbé Bredel fût averti. Éveline, en dépit de sa grandissante incroyance, avait gardé pour l'abbé Bredel des sentiments presques tendres et ne se débattait pas contre lui. Elle ne lui cachait pas le triste progrès de sa pensée, mais comme cette libre-pensée n'entraînait chez elle, jusqu'alors du moins, aucun acte répréhensible, l'abbé Bredel ne mettait pas en doute qu'elle ne fût en état de s'amender et de reconnaître bientôt son erreur. L'instant était propice et, certain soir qu'Éveline se sentait particulièrement faible et que tout laissait supposer sa fin très prochaine, je fis venir l'abbé, l'entretins quelques instants dans le salon, et m'apprêtais à l'introduire dans la chambre de la malade avec les Saintes Huiles et le Viatique dont il avait eu soin de se munir, quand Marchant, sortant de la chambre, referma derrière lui la porte, et, de ce ton autoritaire qu'il sait prendre, lui en refusa l'entrée.

— Je viens de m'employer à relever sa confiance et son courage, dit-il presque durement, n'allez pas défaire mon travail. Si Éveline comprend que vous la croyez perdue, je crains que ce n'en soit fait d'elle.

L'abbé Bredel était tout tremblant.

— Vous n'avez pas le droit de m'empêcher de sauver cette âme, murmura-t-il.

— Pour la sauver, voulez-vous la tuer ? demanda Marchant.

— L'abbé Bredel a l'habitude de ces conversations *in extremis*, dis-je en manière de conciliation. Il saura ne pas effrayer Éveline ; il pourra lui proposer la communion non pas comme à une mourante, mais...

Marchant m'interrompit :

— Voici combien de temps qu'elle n'a plus communié ?

Et comme l'abbé et moi nous baissions la tête
sans oser répondre :

— Vous voyez bien, reprit-il, qu'elle ne peut
pas ne pas voir là une précaution dernière.

Je pris la main de Marchant. Il était tout tremblant lui aussi.

— Mon ami, lui dis-je avec le plus de douceur
que je pus, l'approche de la mort peut modifier
beaucoup nos pensées. Nous n'avons pas le droit
de laisser ignorer à Éveline la gravité de son état.
L'idée qu'Éveline pourrait mourir sans les secours
de la religion m'est intolérable. Sans trop le savoir
elle-même, elle les attend peut-être, les espère. Elle
n'attend peut-être qu'un mot et que cette frayeur
dernière que vous voulez lui épargner, pour se
rapprocher de Dieu. Combien n'en avons-nous pas
vus que la peur de la mort...

Marchant chargea de tout le dédain possible le
regard qu'il me jeta ; il ouvrit lui-même la porte
de la chambre.

— C'est bien. Allez lui faire peur, dit-il en
s'effaçant devant l'abbé.

Éveline avait les yeux grands ouverts. En
voyant entrer l'abbé elle eut un fugitif sourire que
je ne puis qualifier que d'angélique.

— Ah ! vous voilà, dit-elle à demi-voix. Je pensais bien que vous viendriez ce soir. Ses traits prirent soudain une expression de gravité insolite
lorsqu'elle ajouta :

— Et je vois que vous ne venez pas seul.

Puis elle demanda à la petite Sœur qui la veillait
de nous laisser.

L'abbé s'approcha du lit, au pied duquel je

m'étais agenouillé, et demeura quelques instants
sans rien dire, puis, d'une voix solennelle et tendre
à la fois :

— Mon enfant, Celui qui m'accompagne se tient
depuis longtemps près de vous. Il attend que vous
Lui fassiez accueil.

— Marchant cherche à me rassurer, dit Éveline ;
mais je ne suis pas effrayée. Depuis deux jours
déjà je me sens prête. Robert, viens plus près de
moi, mon ami.

Sans me relever, je m'approchai d'elle. Alors,
posant sa main frêle sur mon front qu'elle caressa
doucement :

— Mon ami, j'ai parfois eu des sentiments et
des pensées qui purent te peiner ; et encore tu ne
les connais pas tous. Je voudrais que tu me les
pardonnes, et si je dois à présent te quitter, je
voudrais que...

Elle s'interrompit un instant, détourna de moi
son front, puis, dans un grand effort, reprit à voix
plus haute et très distincte :

— Je voudrais que tu ne te souviennes que de
ton Éveline des premiers temps.

Comme sa main glissait le long de mes joues,
elle put les sentir toutes mouillées de larmes. Elle-
même ne pleurait pas.

— Mon enfant, dit alors l'abbé, n'éprouvez-
vous pas le besoin de vous réconcilier avec Dieu
également ?

Éveline tourna de nouveau vers nous son visage
et avec une sorte de vivacité subite s'écria :

— Oh ! avec Lui, j'ai fait la paix depuis longtemps.

— Mais Lui, mon enfant, reprit l'abbé, cette paix, Il ne vous l'accorde pas encore. Elle ne Lui suffit pas, et elle ne doit pas vous suffire. Le sacrement doit la conclure.

Et, se penchant vers elle :

— Voulez-vous que Robert nous laisse causer, vous et moi, seuls un instant ?

Alors Éveline :

— Pourquoi ? Je n'ai rien de particulier à vous dire. Rien que je veuille lui cacher.

— Je comprends que les fautes que vous avez à vous reprocher ne sont pas des actes ; mais de nos pensées également nous pouvons avoir à nous repentir. Reconnaissez-vous avoir péché contre Dieu dans vos pensées ?

— Non, dit-elle fermement. Ne me demandez pas de me repentir des pensées que j'ai pu avoir. Ce repentir ne serait pas sincère.

L'abbé Bredel attendit un peu :

— Du moins vous inclinez-vous devant Lui ? Vous sentez-vous prête à comparaître devant Lui en parfaite humilité d'esprit et de cœur ?

Elle ne répondit rien. L'abbé reprit :

— Mon enfant, la communion nous apporte souvent, devrait nous apporter toujours, une paix supra-terrestre ; cette paix dont notre âme a besoin, qu'elle ne peut obtenir d'elle-même et sans ce secours. Je vous apporte une paix « qui surpasse toute intelligence ». Voulez-vous l'accepter d'un cœur humble ?

Et comme Éveline se taisait toujours :

— Mon enfant, il n'est pas certain que Dieu veuille vous retirer déjà de ce monde. Soyez sans

crainte. Cette paix qu'apporte la communion est
si profonde que même notre corps infirme la ressent, de sorte que l'on a vu, que j'ai vu moi-même,
à la suite de la communion, des guérisons inespé-
rées. Mon enfant, je vous demande de permettre à
Dieu d'accomplir en vous, s'Il y consent, ce miracle. Si vous croyez en Lui, Celui qui dit à l'agonisant : « Lève-toi et marche », celui qui ressuscita
Lazare, peut vous guérir.

Les traits d'Éveline se creusèrent ; elle ferma
les yeux, et je crus que la fin approchait.

— Vous me fatiguez un peu, dit-elle comme
plaintivement. Écoutez, cher ami ; je voudrais
vous satisfaire, et je puis vous assurer qu'il n'y a
pas de révolte en mon cœur. Je vais me soumettre.
Mais il ne me plaît pas de tricher. Je ne crois pas
à la vie éternelle. Ce sacrement que vous m'appor-
tez, si je l'accepte, c'est sans y croire. C'est à vous
de juger si, dans ce cas, je suis digne de le recevoir.

L'abbé Bredel hésita un instant, puis :

— Vous souvenez-vous de ce que vous disiez,
encore tout enfant, à votre père ? Ces paroles, je
vous les répète à mon tour dans toute la confiance
de mon âme : Dieu vous sauvera malgré vous.

Éveline s'assoupit presque sitôt après avoir
communié. Sa main que je pris pendant son sommeil n'était plus brûlante, et lorsque Marchant
revint vers le milieu de la nuit, il put constater une
amélioration extraordinaire.

— Vous voyez bien, dit-il, que j'avais raison
d'espérer, se refusant à admettre, contre toute
évidence, le bienfait miraculeux des sacrements,
de sorte que l'événement le mieux fait pour le

convaincre ne servit qu'à enfoncer chacun de nous dans son propre sens. Éveline elle-même, dont la convalescence fut très lente, sortit de cette épreuve méconnaissant la grâce de Dieu et plus entêtée qu'auparavant, pareille à ceux que signale l'Écriture, qui ont des yeux pour ne point voir, des oreilles pour ne pas entendre, de sorte que j'en vins à regretter presque que Dieu ne l'eût pas reprise à Lui lorsqu'elle s'était montrée le plus soumise et que, à travers son incrédulité même, elle L'avait pourtant accepté.

Je fis à ce sujet quelques réflexions particulièment importantes et que je veux consigner ici :

La première, fruit d'une conversation que j'eus avec l'abbé Bredel le lendemain de ce soir mémorable, était alors mêlée d'une stupeur attristée : Eh quoi ! nous disions-nous l'un à l'autre, se peut-il que, devant la mort, l'impie tremble moins que le fidèle, alors qu'il aurait tant de raisons de s'effrayer davantage ? Le chrétien, sur le point de comparaître devant son Juge suprême, prend une conscience plus atroce de son indignité, et cette conscience tout à la fois aide à sa rédemption et le maintient dans une salutaire angoisse ; tandis que cette inconscience de l'incroyant, tout en lui permettant de mourir dans un état de trompeuse sérénité, achève de le perdre ; il se dérobe au Christ, se refuse à une rédemption qu'on lui offre et dont, hélas ! il ne sent pas l'urgent besoin, de sorte que c'est ce calme qu'il croit alors ressentir et cette tranquillité devant la mort qui lui assurent en quelque sorte la damnation, et qu'il n'en est jamais plus près que lorsqu'il s'en aperçoit le moins.

J'ajoute aussitôt qu'en employant ce mot terrible de damnation, je ne saurais songer à Éveline, qui, comme je l'ai dit, s'est, je le crois, réconciliée avec Dieu dans ses derniers instants et a pu mourir, je le veux espérer, en chrétienne ; et qui, somme toute, avait accepté Dieu, même au moment de cette fausse alerte. Il n'en restait pas moins que l'abbé Bredel et moi nous nous demandâmes si nous n'aurions pas dû l'effrayer un peu davantage à ce moment, au lieu de la rassurer comme faisait Marchant, plus soucieux ici des intérêts du corps que de ceux de l'âme et ne comprenant pas que la perte de celle-ci pouvait être entraînée par le salut même du corps.

La seconde réflexion que je fis, concurremment avec l'abbé Bredel, concerne l'effet funeste de la communion non suffisamment souhaitée, non méritée pour ainsi dire (car qui de nous, pécheurs, mérite jamais ce don ineffable ?) par une âme qui, alors même que Dieu l'approche, ne fait, pour s'approcher de Dieu aucun effort. Il semble alors que cette lumière, absorbée sans amour, l'obscurcisse. Certainement Éveline me parut, ensuite, précipitée plus avant dans les ténèbres. Lorsque je la revis à son retour d'Arcachon, où elle acheva de se rétablir, où je n'avais pu l'accompagner, car mes travaux me retenaient alors à Paris, je la sentis plus résistante, plus fermée que jamais à toute bonne influence, à tout conseil que j'essayais de lui donner. Je lisais au pli de son front, à cette double barre verticale qui commençait de se dessiner entre ses sourcils, une obstination grandissante, un refus qu'elle n'opposait plus seulement aux vérités

saintes, mais à tout ce que je pouvais lui dire, à
tout ce qui venait de moi. L'ironique scrutation
de son regard communiquait aux plus vertueuses
manifestations de ma part, je ne sais quoi de
contraint, de délibéré, d'affecté. Ou plutôt ce
regard opérait sur moi à la manière d'un scalpel,
détachant de moi cette action, cette parole ou ce
geste, de sorte qu'ils parussent non plus tant nés
vraiment de moi qu'adoptés. Loin de pouvoir prier
avec elle et d'élever vers Dieu nos deux cœurs à la
la fois comme il eût été bon, j'en étais vite venu à
ne plus oser prier devant elle, ou, si je persistais,
dans l'espoir d'entraîner son âme à ma suite, ma
prière, même informulée, perdait aussitôt tout élan
et, pareille à la fumée d'un sacrifice non agréé,
retombait misérablement sur moi-même. De même
son regard, son sourire, lorsque je tendais la main
pour une aumône, asséchait incontinent mon cœur,
et ce geste, auquel mon cœur cessait de prendre
part, devenait à cause d'elle comparable à celui du
pharisien de l'Évangile, de sorte que mon cœur n'en
éprouvait plus cette joie profonde où il trouve sa
première récompense.

J'ai dit que la grandissante incrédulité d'Éveline
m'ancrait d'autant plus avant dans mes convictions religieuses, dans ma foi. Mais ce que je me
refuse à admettre c'est que, si imparfaite qu'ait pu
être ma vertu, celle-ci ait pu détourner Éveline de
la foi, ainsi que le laisse entendre son journal. Cette
accusation affreuse, qui tend à rejeter sur moi la
responsabilité de ses écarts de pensée, je la repousse.
Un croyant maladroit est tout de même un croyant,
et, lorsqu'il chanterait les louanges de Dieu d'une

voix fausse, Dieu ne saurait lui en vouloir, et Son image dans l'esprit d'autrui ne mérite pas d'en être faussée.

Je ne voudrais pourtant point trop accuser Éveline ; je crois en vérité que sa nature était foncièrement meilleure que la mienne ; mais était-ce une raison pour considérer comme insincère tout mouvement de mon âme qui n'était peut-être pas spontané ? Éveline était naturellement vertueuse ; je m'efforçais vers la vertu. N'est-ce donc pas ce que chacun de nous doit faire ? Avais-je tort de ne point m'accepter tel que j'étais, de me vouloir meilleur ? Sans cette constante exigence, que vaut un homme ? Chacun de nous, lorsqu'il s'abandonne à lui-même, n'est-il pas profondément misérable ? Ce qu'Éveline méprisait en moi, c'était cet effort vers le mieux qui seul n'était pas méprisable. Sans doute elle s'était méprise d'abord, mais qu'y pouvais-je ? Aux premiers temps, son amour pour moi l'aveuglait sur mes défauts, sur mes manques ; mais devait-elle ensuite m'en vouloir, si j'étais moins intelligent, moins bon, moins vertueux, moins valeureux que d'abord elle me voyait ? Plus infirme je me sentais, et plus j'avais besoin de son amour. Il m'a toujours paru que les « grands hommes », eux, n'avaient pas tant besoin que nous d'être aimés. Et le besoin de ressembler à cet être meilleur que moi, que d'abord elle avait cru que j'étais, cette application, ce zèle ne méritaient-ils pas surtout son amour ?

La nouvelle expérience que, depuis la mort d'Éveline, j'en ai pu faire avec le conseil et l'aide de Dieu m'a prouvé surabondamment de quel

secours peut être ici l'amour conjugal. Que n'eussé-
je point fait de ma vie, un peu mieux compris, sou-
tenu, encouragé par ma première femme ! Mais
tout son soin semblait au contraire de me ramener
et rabaisser jusqu'à cet être naturel que je prétendais surpasser. Je l'ai dit : elle ne considérait en
moi que ce que Notre-Seigneur appelle en chacun
de nous « le vieil homme », et dont Il vient nous
délivrer.

Pauvre Éveline, qui n'aspirait à aucun ciel !
comment eût-elle aidé à atteindre celui que la religion nous permet dès ici-bas d'entrevoir ? Comment pouvais-je espérer de l'y retrouver un jour ?
C'est cette considération qui, avec l'aide de la Pro-
vidence, m'amena à me remarier, un temps décent
après mon veuvage, Dieu voulant bien avoir égard
au grand besoin que j'éprouvais de m'assurer d'une
compagne pour le peu de temps qu'il me reste à
vivre sur terre, et aussi pour l'éternité, si pourtant
Dieu, qui doit alors emplir nos cœurs, n'absorbe
pas en Lui tout amour.

GENEVIÈVE

OU

LA CONFIDENCE INACHEVÉE

Peu de temps après la publication de l'École des Femmes, *puis de* Robert, *j'ai reçu, en manuscrit, le début d'un récit en quelque sorte complémentaire, c'est-à-dire pouvant être considéré, s'ajoutant aux deux autres, comme le troisième volet d'un triptyque.*

Après avoir longtemps attendu la suite, je me décide à donner ce début tel quel, avec, en manière d'introduction, la lettre qui l'accompagnait.

André GIDE.

Août 1931.

Monsieur,

Puis-je espérer que vous consentirez à couvrir de votre nom, comme déjà vous avez fait pour le journal de ma mère, puis pour la défense de mon père, le livre que je vous envoie ?

Je crains que ce livre ne soit pas du tout de nature à vous plaire. N'étant guère friande de littérature, je ne vous ai pas beaucoup lu, je l'avoue ; assez toutefois pour me convaincre que les questions qui m'intéressent vous laissent indifférent ; du moins je n'en trouve pas trace dans vos livres. Les sujets que vous y abordez échappent autant qu'il se peut à ce que vous semblez considérer comme des « contingences » indignes de votre attention, tandis que vous ne trouverez ici, exposés sans art, que des problèmes d'ordre pratique. Votre esprit plane dans l'absolu ; je me débats dans le relatif. La question n'est point pour moi, comme pour les héros que vous peignez et pour vous-même, d'une façon vague et générale, que peut l'homme ? *mais bien, d'une manière toute matérielle et précise : Qu'est-ce que, de nos jours, une femme est en mesure et en droit d'espérer ?*

N'est-il pas naturel que ce « problème » paraisse, pour la femme encore jeune que je suis, de première importance ? Si important soit-il, ce n'est que de nos jours qu'il commence vraiment à se dresser. Oui, ce n'est que depuis la guerre, où tant de femmes ont fait preuve d'une valeur et d'une énergie dont les hommes ne les eussent point cru capables, que l'on commence à leur reconnaître, et qu'elles-mêmes commencent à revendiquer, leurs droits à des vertus qui ne soient pas simplement privatives, de dévouement, de soumission et de fidélité ; de dévouement à l'homme, de soumission à l'homme, de fidélité à l'homme ; car il semblait jusqu'à présent que toutes les vertus affirmatives dussent demeurer l'apanage de l'homme et que l'homme se les fût toutes réservées. Je crois que nul ne peut contester aujourd'hui que la situation de la femme a changé considérablement depuis la guerre. Et peut-être ne fallait-il pas moins que cette catastrophe effroyable pour permettre aux femmes de rendre manifestes des qualités qui semblaient jusqu'à ce jour exceptionnelles ; pour permettre à la valeur des femmes d'être prise en considération.

Le livre de ma mère s'adresse à une génération passée. Du temps de la jeunesse de ma mère, une femme pouvait souhaiter sa liberté ; à présent il ne s'agit plus de la souhaiter, mais de la prendre. Comment et à quelles fins ! c'est ce qui importe et que je vais tâcher de dire, du moins pour ce qui est de moi.

Je ne me pose pas en exemple ; mais il me semble que le simple récit que je veux faire de ma vie peut avertir ; je le donne comme une suite au journal de ma mère, comme une Nouvelle École des Femmes. *Et pour bien indiquer que ce n'est là qu'un exemple entre maints autres, qu'un exemple particulier, je l'intitulerai* Geneviève, *nom d'emprunt sous lequel je figure déjà dans le journal de ma mère.*

PREMIÈRE PARTIE

En 1913, comme je venais d'avoir quinze ans, ma mère me fit entrer au lycée, malgré la vive désapprobation de mon père ; mais, de volonté faible en dépit de ses airs assurés, mon père cédait toujours, quitte à se payer de sa défaite en une menue monnaie de critiques continuelles. Cette éducation de lycée fut responsable, selon lui, de ce qu'il appela mes « écarts de pensée », puis, plus tard, de mes « écarts de conduite ».

Je tiens de ma mère un certain goût pour le travail, et une assiduité naturelle qu'elle encourageait en feignant de s'instruire à travers moi. Lorsque je rentrais du lycée, elle m'aidait à mes devoirs, apprenait avec moi mes leçons, et je lui rapportais tout ce que j'avais appris en classe, comme d'autres raconteraient ce qu'ils ont vu ou entendu dans une sortie en ville. C'est ce qui lui donna, je crois, l'illusion que je pusse avoir eu sur elle plus d'influence qu'elle n'en avait eu sur moi. Cette illusion — si c'en est une — elle cherchait à me la donner à moi-même, et rien ne servit plus à me mûrir, à entretenir mon zèle et une certaine confiance en soi, qui lui manquait.

Je dois également à ma mère un ardent désir, un besoin de me rendre utile, et si déjà ce désir existait naturellement en moi, sommeillant, elle sut l'éveiller, l'aviver sans cesse. Il était alimenté chez ma mère par un extraordinaire amour pour les pauvres, les souffrants et tous ceux que mon père appelait (que ma mère se refusait d'appeler) « nos inférieurs ». J'ai d'autant plus à cœur de le dire que ni le journal de ma mère, ni le plaidoyer de mon père, n'en laisse rien connaître. Ma mère se dépensait et se dévouait non seulement sans ostentation, mais même en se cachant, comme de tout ce qui eût pu lui attirer quelques louanges. Cette pudeur extrême et cette modestie (que je n'ai pas héritées d'elle, il faut bien que je l'avoue) étaient telles que l'on pouvait vivre près d'elle longtemps sans se douter de ses vertus. Mon père avait, tout au contraire, un aussi constant souci de se faire valoir que ma mère de s'effacer. Il semblait qu'il attachât plus de prix à l'apparence de la vertu qu'à la vertu même. Je ne pense pas qu'il fût précisément un hypocrite et qu'il ne cherchât pas à devenir tel qu'il se montrait ; mais chez lui le geste ou la parole précédait toujours l'émotion ou la pensée, de sorte qu'il restait toujours en retard et comme endetté envers lui-même. Ma mère souffrait beaucoup de cela ; et je l'aimais trop pour ne pas détester mon père.

En classe, ma voisine de droite était, de toutes mes camarades, celle qui attirait et retenait le plus mon regard. De peau brune, ses cheveux noirs bou-

clés, presque crépus, cachaient ses tempes et une
partie de son front. On n'eût pu dire qu'elle était
précisément belle, mais son charme étrange était
pour moi beaucoup plus séduisant que la beauté.
Elle s'appelait Sara et insistait pour qu'on ne mît
pas d'h à son nom. Lorsque, un peu plus tard, je
lus *les Orientales*, c'est elle que j'imaginais, « belle
d'indolence », se balancer dans le hamac. Elle était
bizarrement vêtue, et l'échancrure de son corsage
laissait voir une gorge formée. Ses mains rarement
propres, aux ongles rongés, étaient extraordinairement fluettes.

— Qu'est-ce que vous avez à me reluquer
comme ça ? — me dit-elle brusquement le premier
jour.

Je détournai les yeux en rougissant beaucoup
et n'osai lui dire que je la trouvais ravissante. Les
autres élèves ne semblaient pas de mon avis et,
dans les conversations que je surpris, on s'accordait à critiquer son teint de « bohémienne ». Son
air grave et le presque constant froncement de ses
sourcils, qui plissait légèrement son beau front,
semblaient indiquer une tension de volonté singulière, une attention... j'aurais voulu savoir à quoi,
car ce n'était certes pas au cours. Lorsqu'il arrivait
qu'on l'interrogeât, on se rendait aussitôt compte
qu'elle n'avait rien écouté ; et si, dans ses moments
de tension, elle paraissait plus âgée qu'aucune de
nous, encore qu'elle me dît être exactement de
mon âge, de brusques élans de joie, des sortes de
transes de gaîté, la replongeaient aussitôt après
dans l'enfance.

Dès les premiers jours, je m'épris pour elle d'un

sentiment confus que je n'avais jamais encore
éprouvé pour personne et qui me paraissait si neuf,
si étrange, que je doutais si c'était bien moi, Geneviève, qui l'éprouvais, et si ne m'envahissait pas
une personnalité étrangère qui me dépossédait de
ma volonté et de mon corps. Cependant Sara semblait me remarquer à peine, et je ne sais de quelle
extravagance je me sentais capable pour attirer
son attention. Je cherchais ce qui pouvait lui
plaire ; elle semblait malheureusement insensible
à tous les succès scolaires et je me dépitais qu'elle
parût si peu remarquer les miens. Lorsque je lui
parlais, elle me répondait à peine ; ce que je lui
disais ne semblait jamais l'intéresser. Elle était
certes loin d'être sotte et son prestige, à mes yeux,
était tel que je ne pouvais croire qu'elle ne fût pas
supérieure dans quelque domaine ; mais je ne
pouvais découvrir en quoi. Certain jour de concours
de récitation, j'eus une brusque révélation. Après
que plusieurs élèves et moi-même nous eûmes plus
ou moins péniblement ressassé les stances du *Cid*,
le songe d'*Athalie* ou le récit de Théramène, sans
autre souci que de ne point trébucher et comme si
ces vers n'eussent été écrits qu'en vue d'exercer
notre mémoire, notre maîtresse de français appela
Sara :

— Quittez votre place, venez devant la chaire
et montrez-nous comment on doit dire les vers.

Sara, sans gêne aucune, s'avança puis, face aux
élèves, commença de réciter la première scène de
Britannicus. Sa voix, plus pleine et plus grave que
d'ordinaire, prenait une sonorité que je ne lui
connaissais pas encore. Ainsi que les autres élèves

j'avais appris ces vers par cœur ; notre maîtresse
nous les avait commentés, en avait fait valoir les
mérites, mais je ne m'étais pas encore avisée de
leur beauté. Celle-ci m'apparut soudain à travers
la récitation de Sara ; et un frisson quasi religieux
coula le long de mon dos, me secoua tout entière
tandis que les larmes emplissaient mes yeux. La
maîtresse elle-même semblait émue.

— Mademoiselle Keller, — dit-elle enfin, après
que la récitation fut finie, — nous vous remercions
toutes. Avec les dons que vous avez, vous êtes
inexcusable de ne pas travailler davantage.

Sara fit une courte révérence ironique, une sorte
de pirouette, et rejoignit sa place auprès de moi.

J'étais toute tremblante d'une admiration, d'un
enthousiasme que j'eusse voulu pouvoir lui exprimer, mais il ne me venait à l'esprit que des phrases
que je craignais qu'elle ne trouvât ridicules. La
classe était près de finir. Vite, je déchirai le bas
d'une feuille de mon cahier ; j'écrivis en tremblant
sur ce bout de papier : « Je voudrais être votre
amie » et glissai vers elle gauchement ce billet.

Je la vis froisser le papier ; le rouler entre ses
doigts. J'espérais un regard d'elle, un sourire, mais
son visage restait impassible et plus impénétrable
que jamais. Je sentis que je ne pourrais supporter
son dédain et m'apprêtais à la haïr.

— Déchirez donc ça, — lui dis-je d'une voix
contractée. Mais, soudain, elle redéplia le papier,
passa sa main dessus pour l'aplanir, et comme ayant
pris une résolution... A ce moment, j'entendis mon
nom : la maîtresse m'interrogeait. Je dus me lever,
je récitai de manière machinale un court poème de

Victor Hugo qu'heureusement je savais fort bien.
Dès que je fus rassise, Sara glissa dans ma main
le billet au verso duquel elle avait écrit : « Venez
chez nous dimanche prochain, à trois heures. »
Mon cœur se gonfla de joie et, enhardie :

— Mais je ne sais pas où vous habitez !

Alors elle :

— Passez-moi le papier.

Et tandis que, la classe finie, les élèves rassem-
blaient leurs affaires et se levaient pour partir, elle
écrivit au bas du billet : « Sara Keller, 16, rue
Campagne-Première. »

J'ajoutai prudemment :

— Je ne sais pas encore si je pourrai ; il faut
que je demande à maman.

Elle ne sourit pas précisément, mais les coins
de ses lèvres se relevèrent. Ça pouvait être de la
moquerie ; aussi ajoutai-je bien vite :

— Je crains que nous ne soyons déjà invitées.

Habitant dans un tout autre quartier et assez
loin du lycée, je devais me séparer de Sara dès la
sortie ; d'ordinaire je m'en allais seule et très vite.
Ma mère, qui voulait me marquer sa confiance, ne
venait pas me chercher, mais elle m'avait fait promettre de rentrer toujours directement et de ne
m'attarder point à causer avec les autres élèves.
Ce jour-là, je courus durant la moitié du trajet,
tant j'étais pressée de lui faire part de la proposition de Sara. Je n'étais pas du tout sûre que ma
mère acceptât, car, en dehors du lycée, elle ne me
laissait que rarement sortir seule..D'ordinaire je
n'avais rien de caché pour ma mère ; pourtant je
ne sais quelle pudeur m'avait jusqu'alors retenue

de lui parler de Sara. Je dus tout dire en une fois :
et la récitation de *Britannicus* et mon enthousiasme
que je ne cherchai pas à cacher, et même cette
attirance singulière que j'aurais été bien incapable
de taire et qui se marquait malgré moi dans mon
récit. Comme j'avais enfin demandé : « Est-ce que
tu me permettras d'y aller ? » maman ne répondit
pas aussitôt. Je savais qu'elle avait toujours peine
à me refuser quelque chose :

— Je voudrais d'abord en savoir un peu plus
sur ta nouvelle amie et sur ses parents. Lui as-tu
demandé ce que faisait son père ?

J'avouai que je n'y avais pas songé, et promis
de m'en informer. Deux jours nous séparaient
encore du dimanche.

— Demain, je viendrai te chercher à la sortie,
— ajouta ma mère ; — tu tâcheras de me présenter
cette enfant ; je voudrais la connaître.

Ce samedi, j'observai Sara en me demandant
anxieusement l'impression que maman pourrait
avoir d'elle. Il me parut que sa mise était plus
négligée qu'à l'ordinaire ; en particulier sa coiffure
était dans un grand désordre.

— Arrangez un peu vos cheveux, — lui dis-je
enfin craintivement.

— Pourquoi ?

— Parce que maman va venir me chercher.
Elle voudrait vous connaître.

— Oui ; avant de savoir si elle doit vous laisser
venir dimanche, n'est-ce pas ?

Je ne pus protester ; pourtant je n'aurais pas
voulu paraître trop sous la tutelle de ma mère.

— Peut-être, — dis-je. — Oh ! je voudrais tant

que vous lui plaisiez ! Je me retins d'ajouter : « et qu'elle vous plaise aussi... » mais aussitôt je m'inquiétai de la robe et du chapeau qu'aurait mis ma mère.

— Ça ne m'amuse pas beaucoup, cet examen, — dit Sara.

Pourtant, à la sortie, elle ne s'échappa point, comme je le craignais. Maman était devant la porte. Je pense qu'elle-même était soucieuse de plaire à mon amie ; jamais elle ne m'avait paru plus charmante.

— Geneviève m'a beaucoup parlé de vous, — dit-elle à Sara, avec une affabilité exquise. — J'aurais voulu vous entendre réciter ces vers de Racine. Ils sont si beaux... Mais je pense que vous ne les auriez pas si bien dits si vous ne les aimiez pas.

Manifestement elle cherchait ce qui pût inviter l'autre à parler. Sara était certainement beaucoup moins troublée que moi.

— Oh ! oui, — dit-elle aussitôt ; — mais j'aurais préféré réciter du Baudelaire.

Je n'avais encore rien lu de Baudelaire et craignais que maman ne le connût pas davantage ; allait-elle le laisser paraître ?

— Quoi, par exemple ?

— Oh ! de préférence *la Mort des Amants*.

Je sentis que je rougissais. Sûrement ce titre allait scandaliser ma mère. Je la regardai. Elle souriait :

— Mais ce n'est sans doute pas de la poésie pour lycée, — dit-elle. — Vous avez des frères et des sœurs ?

— Un frère plus âgé qui fait son service militaire

en Algérie ; puis, comme allant au-devant d'une question de ma mère : — Mon père est peintre.

— Quoi, — s'écria maman, — vous seriez la fille d'Alfred Keller dont tout le monde admirait les toiles au Salon dernier ? Cela m'explique vos goûts d'artiste.

J'étais ravie d'apprendre que le père de Sara était célèbre ; mais soudain le front de maman se rembrunit et, à ma consternation, elle ajouta :

— Je sais que vous avez invité Geneviève pour dimanche ; malheureusement elle ne sera pas libre

Et, comme Sara ripostait un peu sèchement :

— Je regrette.

— Ce sera pour une autre fois, — dit ma mère en lui tendant la main.

Et, sitôt que Sara nous eut quittées :

— Mais, tu ne m'avais pas dit... C'est une juive !

Ce mot ne signifiait presque rien pour moi. Je connaissais l'Histoire Sainte, je savais ce que les juifs avaient été autrefois mais point du tout ce qu'ils pouvaient être aujourd'hui. Une imperceptible nuance dans le ton de sa voix m'avait heurté douloureusement le cœur.

— Une juive ? — m'écriai-je. — A quoi reconnaît-on cela ?

— Il m'a suffi de la voir. Elle est du reste très jolie. — Et, comme suivant à la fois deux idées : — Du reste il y a beaucoup de juives au lycée.

Alors je hasardai :

— Est-ce parce qu'elle est juive que tu ne me laisses pas aller chez elle ? Pourquoi lui as-tu dit que je n'étais pas libre ? Tu sais bien que ça n'est pas vrai.

— Mon enfant, je ne pouvais pas lui dire brutalement que nous refusions son invitation. Ce n'est pas sa faute si elle est juive et si son père est un artiste. Je ne voulais pas la peiner. D'ailleurs, — ajouta-t-elle en voyant mes yeux pleins de larmes, — les juifs ont beaucoup de qualités et certains d'entre eux sont très remarquables. Mais je préfère ne pas te laisser aller dans un milieu si différent du nôtre, avant d'avoir pris quelques renseignements.

— Oh ! maman, j'aurais tant voulu...

— Mon enfant, pas cette fois. N'insiste pas. Du reste, il est trop tard... — Puis, plus tendrement : — Voyons, Geneviève, tu sais bien que cela me fait de la peine de te peiner.

Oui, je le savais bien ; mais ma mère, en me refusant, me paraissait céder à des raisons de convenances, et qui venaient moins d'elle-même que de notre entourage, de notre situation, de notre rang social ; je sentais cela vaguement ; et d'ordinaire elle m'enseignait à ne pas tenir compte de ces raisons-là. Pourtant il était tout naturel qu'elle ne me laissât pas fréquenter, si jeune et si malléable encore, des inconnus peut-être peu recommandables. Cela aussi je le sentais vaguement ; et, au fond de moi, sans doute j'approuvais sa décision. Mais il me semblait qu'un amoncellement de conventions me séparait de ma nouvelle amie, et j'en éprouvais une tristesse affreuse.

— Du reste, — reprit ma mère après un long silence, — je ne t'empêche pas de voir ta camarade ; peut-être même pourras-tu l'inviter à venir chez nous. Je te dirai cela plus tard.

Certainement elle se désolait d'avoir dû me causer
ce chagrin ; on eût dit qu'elle cherchait à s'en
excuser presque et qu'elle eût voulu l'adoucir. Mais
il devait s'y ajouter bientôt une peine encore plus
vive. Lorsque je revis Sara, le lundi suivant :

— C'est dommage que votre mère ne vous ait
pas laissée venir, — me dit-elle aussitôt. Puis, avec
une sorte de cruauté, et comme s'amusant à mêler
aux regrets que je pouvais avoir l'amer poison de
la jalousie : — Gisèle était là. Papa nous a menées
au Palais de Glace. Gisèle s'est foulé le pied. C'est
pour ça qu'elle n'a pas pu venir en classe ce matin.
Mais nous nous sommes royalement amusées.

Gisèle Parmentier était la meilleure élève de
notre classe. Son père, mort depuis longtemps, avait
été un remarquable professeur au Collège de France,
avais-je entendu dire. Sa mère était anglaise. Gisèle,
son unique enfant, parlait l'anglais aussi bien que
le français. Son intelligence était plutôt profonde
que vive. Il ne semblait pas qu'elle eût à faire
aucun effort pour se maintenir à la tête des autres
élèves du lycée. Mais c'était plutôt encore son
intimité avec Sara qui ne l'avait fait remarquer.
Toutes deux avaient ensemble de longs entretiens,
et Sara ne causait guère qu'avec elle. Gisèle, par
contre, aux récréations était souvent fort entourée
et ne semblait faire nulle attention à moi, « la nouvelle ». Elle occupait une place à l'autre extrémité
de la classe et je ne pouvais l'approcher que pendant les minutes de récréation où les élèves s'égail-
laient dans une vaste cour plantée d'arbres. Certain jour, comme je m'approchais d'un groupe fort
animé dont Gisèle occupait le centre, une élève

brusquement, se tournant vers moi, me demanda
mon avis sur je ne sais plus quel sujet épineux sur
lequel il semblait qu'on ne pût se mettre d'accord,
et, comme je ne répondais pas aussitôt, une autre
élève s'était écriée :

— Vous voyez bien que mademoiselle est beaucoup trop bien élevée pour oser se prononcer. Elle
craindrait de se compromettre.

Cette apostrophe m'apparut la plus injuste du
monde. Je me sentis aussitôt capable de tout pour
prouver à Gisèle que je méritais une estime qu'on
semblait ne point vouloir m'accorder ; pour lui
prouver, et me prouver à moi-même, que la peur
de me compromettre ne m'arrêterait point, en dépit
de ma réserve et de mon air « trop bien élevé ».
Capable de... mais précisément : je ne savais de
quoi. Je haussai les épaules et murmurai :

— Celles qui parlent le plus ne sont pas
celles...

— Qu'est-ce qu'elle dit, qu'est-ce qu'elle dit ?
— s'écrièrent confusément plusieurs.

— Ne sont pas toujours celles qui agissent.

Aussitôt dite, ma phrase me parut absurde. Heureusement elle ne fut pas relevée.

Quand Sara m'annonça que Gisèle s'était foulé
le pied, je sentis une mauvaise joie. Quelques jours
de répit, pensai-je. Gisèle et Sara étaient les deux
seules élèves avec qui je souhaitais me lier. Dédai-
gnée par l'une et contrainte par ma mère de refuser
les avances de l'autre, je sentais péniblement ma
solitude et m'enfonçais dans la mélancolie, lorsque
ma mère, qui certainement remarquait ma tristesse,
m'annonça qu'elle avait décidé mon père à écrire

au père de Sara pour le convier avec elle à une de nos réunions du jeudi soir.

Ma mère n'avait pas de « jour » et même professait, pour toutes les obligations mondaines, une aversion que mon père ne cessait de lui reprocher. Il la tenait pour responsable de ses échecs ; car, comme ceux qui n'ont pas grande valeur personnelle, il se plaisait à croire que tout s'obtient par intrigue ou par entregent. Je crois que le plus clair de ce qu'il appelait pompeusement son « travail » consistait en courbettes à faire ou à recevoir, dont il tenait compte très exact. Je comprends de reste que ma mère ne se pliât pas à ces pratiques où, disait-elle, s'émousse la conscience et certain sentiment de probité morale et intellectuelle qu'elle souhaitait préserver en moi. Aucune raison ne peut me retenir de juger mon père encore plus sévèrement qu'elle ne fait elle-même dans son journal. J'estime que rien ne peut fausser davantage le caractère d'un enfant que de lui imposer un respect de commande pour des parents, dès que ceux-ci ne sont pas respectables. Ma mère, par contre, méritait ma vénération, et mon amour pour elle était presque de la dévotion. Quant à mon père, je cessai vite de le prendre au sérieux. Sans doute les réflexions que voici n'étaient point encore celles de l'enfant que j'étais alors. Mais déjà je m'impatientais de l'entendre se contredire, soutenir comme siennes des opinions que je savais empruntées, mettre en avant des sentiments sublimes qu'il était incapable d'alimenter ou faire étalage de convictions intransigeantes qui cachaient mal le caractère le plus pliable et le plus complaisant qui soit. Il appelait

volontiers ses menus essoufflements moraux : du
« savoir-vivre », et excellait à mettre ses déconve-
nues sur le compte de sa délicatesse, de sa probité
« excessive », de ses scrupules, avec une ingéniosité
et une ingénuité qui exaspéraient ma pauvre
mère. Elle en parle d'ailleurs beaucoup mieux que
je ne saurais le faire et ce que j'en dis n'y ajoute
rien.

Combien de lecteurs vont s'indigner de m'entendre m'exprimer aussi librement sur mon père !
Ce n'est pas pour ces lecteurs que j'écris, et je suis
bien décidée à passer outre à toutes les considérations de prétendue convenance, de décence ou
de pudeur. Mon récit n'a raison d'être que parfaitement franc ; si cette franchise prend parfois cou-
leur de cynisme, je crois que cela vient surtout de
l'habitude invétérée qu'on a de regarder de travers
et de n'aborder point, ou qu'avec un tas de cir-
conlocutions rassurantes, certains sujets que je me
propose de regarder en face, comme ils méritent
de l'être.

Je crois (mais ce sont mes réflexions d'aujour-
d'hui dont je fais part) je crois de plus en plus fermement qu'il est bien peu de nos maux qui ne
soient dus à l'ignorance et dont le remède puisse
être cherché sans un préalable éclairement net et
cru des questions. Les considérations de pudeur et
de morale n'ont que faire ici ; elles ne tendent qu'à
fausser tous les problèmes. Et certains de ceux-ci
nous ne les abordons encore qu'avec une paraly-
sante réserve, comparable à cette retenue qui
empêcha le progrès de la médecine et toute connaissance anatomique exacte, aussi longtemps que

l'examen du corps humain put être considéré comme indécent et attentatoire. L'examen attentif de ce qui est doit précéder tout acheminement vers ce qui pourrait être, vers toutes réformes et améliorations tant sociales qu'individuelles. Ce n'est pas un roman que j'écris ici et je me laisserai volontiers entraîner à des considérations qui couperont mon récit, mais qui m'importent, je l'avoue, beaucoup plus que ce récit lui-même. L'expérience que je fis de la vie, je ne la raconte que dans l'espoir qu'elle puisse être de quelque enseignement ou de quelque secours. Je ne retiendrai donc point les commentaires, dût la « qualité artistique » de ces pages en souffrir. J'ai déjà dit que je n'avais pas grand goût pour la littérature. Il me semble même que certaine perfection, que je me défends de souhaiter, ne saurait être obtenue qu'aux dépens de la vérité. Celle-ci, dès qu'il ne s'agit plus d'abstraction mais de vie, demeure complexe, trouble, incertaine, et ne prête pas à l'épure... pour laquelle je n'ai du reste aucun don. Peu m'importe si ce que j'écris ici n'a qu'un intérêt passager. Je n'ai nullement l'intention, l'illusion, de fixer rien d'éternel, et si ce qui m'angoissait hier, ce qui m'occupe aujourd'hui, cesse bientôt d'être de quelque intérêt que ce soit, j'en suis aise.

Nous voici bien loin, M. Gide, des considérations qui dictent vos livres. Vous disiez, il m'en souvient : « J'écris pour être relu » ; quant à moi, tout au contraire, j'écris ceci pour aider celui ou celle qui me lit à passer outre. Tout ce qui peut aider au progrès, tout ce qui peut aider l'homme à s'élever un peu au-dessus de son état actuel, doit être bientôt repoussé du pied comme un échelon sur lequel on a d'abord pris appui.

Une fois par semaine mon père conviait à dîner certains personnages dont il souhaitait conquérir le bon-vouloir. Ces soirs-là, j'allais dîner chez nos cousins Froberville. Le lendemain, notre déjeuner bénéficiait des reliefs du festin de la veille et des échos des conversations. Mon père semblait alors plus pénétré que jamais de son importance.

En plus de ces réceptions, nous avions coutume d'ouvrir nos portes, chaque jeudi soir, à quelques fidèles amis dont le docteur Marchant et sa femme qui, je m'en rendais compte, étaient beaucoup plutôt les amis de ma mère que de mon père. La question s'était posée (m'avait redit ma mère) : Inviterait-on le père de Sara à l'un des dîners cérémonieux ou à l'une de nos soirées intimes ? Le dîner lui en imposerait davantage ; mais on ne savait trop à qui réunir ce nouveau venu... Car papa avait une terrible peur que Keller ne « marquât mal ». Papa professait volontiers une grande liberté d'esprit ; par pure affectation du reste, car il était d'autre part fort ancré dans des idées de commande. Il disait, à qui voulait l'entendre, que le talent excusait tout ; mais sans talent lui-même, il n'excusait rien ; et rien ne le gênait plus que ce qu'il appelait le « manque de savoir-vivre », car il n'avait guère d'autre savoir. De plus, sans être antisémite déclaré, il avait en suspicion tous les juifs. Admettre Keller à une de nos petites soirées intimes n'engageait à rien ; et, somme toute, cette invitation n'avait d'autre but que de nous réunir, Sara et moi, malgré l'ennui non dissimulé de mon père de voir sa fille se lier avec quelqu'un qui ne fût pas « de notre monde ».

Mon père se félicita plus encore de sa décision, lorsqu'une réponse de Keller nous avertit qu'il « ne sortait jamais sans sa femme ». Madame Keller accompagnerait donc Sara.

Cette soirée dont je m'étais promis tant de joie fut pour moi l'occasion d'une souffrance indicible. Il apparut même à mes yeux d'enfant, et dès l'entrée de nos nouveaux hôtes, que leur présence dans notre salon bourgeois était parfaitement déplacée. Je n'appris (et mes parents n'apprirent) que longtemps ensuite, que Keller n'était pas authentiquement marié et que la mère de Sara, de très basse origine (ainsi que lui-même d'ailleurs), avait été son modèle avant de devenir sa compagne. A entendre parler mon père, « épouser son modèle » semblait un comble d'abjection ; son mépris pourtant augmenta lorsqu'il apprit que Keller « ne l'avait même pas épousée ». De cela nous ne savions rien encore et sinon, déclarait mon père plus tard, « on ne les aurait naturellement pas invités ». J'appris aussi, par la suite, que le couple formait un ménage profondément uni ; mais, disait mon père plus tard, « cela ne change rien à l'affaire ». Madame Keller avait dû être très belle ; elle l'était encore, bien que fâcheusement empâtée. Sa mise trop voyante pour notre milieu terne, trop somptueuse, « extravagante » disait mon père le lendemain matin, fit valoir aussitôt la discrétion modeste de madame Marchant et de ma mère. Mais, par contraste, les robes sombres et montantes de celles-ci me parurent aussitôt désuètes, étriquées, et ennuyeusement « comme il faut ». Quant à moi-même, qui avais revêtu ce soir-là une toilette claire des plus modestes, je me sentis toute guindée auprès de Sara qu'enveloppait harmonieusement et comme négligemment une souple soie rouge sombre, dont le ton chaud faisait valoir l'éclat ambré de sa peau. Ce n'est pas que j'attachasse grande importance au costume, mais au contact de la grâce et de l'aisance de Sara, et par l'effet d'une extrême sympathie qui me fit voir avec ses yeux à elle notre intérieur, ce milieu dans lequel j'avais vécu jusqu'alors laissa paraître son insignifiance et sa conventionnelle banalité. Le lustre, les tentures, les fauteuils, le mobilier, tout se désenchanta soudain, s'embourgeoisa, se ternit. Ce n'était pas pourtant que notre intérieur fût particulièrement déplaisant ; ni mon père même, ni ma mère n'avait ce qu'on nomme communément « mauvais goût », mais l'un et l'autre sacrifiaient à l'usage ; la décence même du style bourgeois qui les contentait, combien les toilettes de madame Keller et de Sara faisaient paraître cela médiocre et bêtement timoré.

— Ce que c'est cossu, chez vous ! — me dit Sara ; et ce furent les premières paroles qu'elle m'adressa, d'un ton indéfinissable où entrait un mélange d'étonnement admiratif et de je ne sais quelle ironie, un peu méprisante, me sembla-t-il, qui me fit aussitôt rougir.

Mon père, qui s'était renseigné, nous avait dit que Keller vendait fort bien ses tableaux et fort

cher. Mais, lorsque je pénétrai peu de temps ensuite
dans l'atelier du père de mon amie, je n'y vis rien
qui marquât précisément la fortune. Chez nous,
au contraire, tout semblait raconter indiscrètement
le chiffre de nos revenus.

Que les Keller fissent mauvaise impression à mes
parents, c'est ce dont je ne pouvais douter ; cela
me sautait aux yeux, si enfant que je fusse encore ;
mais aussi le grand effort que faisaient mes parents
pour n'en rien laisser paraître. Chacun avait souci,
ce soir-là, de paraître parfaitement à son aise et
vraiment je crois que j'étais seule à souffrir de la
disparate ; c'était aussi sans doute à cause de la
sincérité de mes sentiments pour Sara. Je l'avais
aussitôt prise à part, tandis que la conversation de
nos parents prenait prétexte de quelques tableaux
accrochés aux murs. C'étaient, pour la plupart, des
toiles de notre ami Bourgweilsdorf que mon père
avait ressorties de ses armoires après la mort récente
de celui-ci, car les marchands et le public s'étaient
alors brusquement avisés de leur valeur. Papa, du
reste, qui s'occupait alors d'une revue d'art, avait
beaucoup fait — disait-il — pour le « lancer », et
lui obtenir posthumément la gloire qui lui fut refusée de son vivant.

— Vous savez, — me dit Sara, — papa fait
semblant de trouver cela bien ; mais, au fond, il a
horreur de cette peinture.

— Et vous ? — demandai-je craintivement.

— Oh ! moi, la peinture ne m'intéresse pas.
J'en vois trop. Je n'aime que la musique et la
poésie.

J'étais extrêmement désireuse de trouver « bien »

les parents de mon amie ; mais combien, auprès de ma mère et de madame Marchant, madame Keller me paraissait vulgaire ! Elle riait trop haut, et à propos de tout, rejetant la tête en arrière et pouffant derrière un grand éventail déployé. Je fus amenée plus tard à la connaître pour une excellente femme, mais assez sotte et d'une insondable ignorance. Quant à Keller, je ne sais comment il pouvait à la fois ressembler à sa fille et être aussi laid. Je ne me souviens d'aucun des propos qu'il lançait avec une grande assurance, mais bien de l'agacement très apparent qu'en ressentait le docteur Marchant.

Lorsqu'on nous apporta des rafraîchissements, Marchant profita de la diversion pour demander à Sara si elle ne nous réciterait pas quelque chose.

— Geneviève nous a parlé de votre extraordinaire talent, — dit-il. — Je crois que nous sommes ici quelques-uns qui goûterions les vers dits par vous, beaucoup mieux que n'ont pu faire vos camarades de classe.

Sara ne se fit nullement prier. Mais, comme elle hésitait et demandait ce que nous souhaiterions entendre :

— Eh bien, — dit gentiment ma mère — pourquoi ne pas réciter cette *Mort des Amants*, que vous m'avez dit l'autre jour que vous aimiez particulièrement ?

— Un des sommets de la poésie française, — déclara sentencieusement papa. — Voulez-vous le livre, mademoiselle ?...

Puis il ajouta que Baudelaire était son poète préféré et qu'il avait toujours *les Fleurs du Ma*

auprès de lui. Il tira aussitôt d'une petite bibliothèque tournante, sur le piano, un volume dont
sans doute il avait souci de faire admirer la reliure,
car il devait bien penser que Sara réciterait par
cœur. Elle s'appuya de dos contre le piano à queue,
prit une expression comme douloureuse et souriante à la fois qui la rendit plus belle encore, et
récita d'une voix égale, riche mais extraordinairement douce et voilée, ce poème admirable, que
je ne connaissais pas. Je ne suis pas très sensible à
la poésie, je l'avoue, et sans doute serais-je restée
indifférente devant ces vers, si je les avais lus moi-
même. Ainsi récités par Sara, ils pénétrèrent jusqu'à mon cœur. Les mots perdaient leur sens précis,
que je ne cherchais qu'à peine à comprendre ; chacun d'eux se faisait musique, subtilement évo-
cateur d'un paradis dormant ; et j'eus la soudaine
révélation d'un autre monde dont le monde exté-
rieur ne serait que le pâle et morne reflet.

— Sara, — lui disais-je plus tard, — ce n'est
pas dans ce monde poétique, si beau qu'il soit, que
nous habitons et pouvons agir. Pourquoi nous en
donner la nostalgie ?

— Mais il ne tient qu'à nous d'y vivre, — me
répondait elle.

J'appris, ce même soir, que Sara se destinait au
théâtre. Je raconterai comment je la vis, par la
suite, lentement se laisser habiter, posséder, par
des personnalités d'emprunt, jusqu'à perdre tout
caractère individuel. Je pense aujourd'hui qu'il
n'est pas bon (j'allais dire : honnête) de déshabiter
ainsi les misères de notre terre, comme certains
mystiques font dans un rêve de vie future, et cet

échappement au réel m'apparaît une sorte de désertion. Mais ce soir je ne cherchai pas à réagir ; je m'abandonnais au charme de la voix de Sara, comme à une incantation.

Sara, sur la demande de mon père, récita encore *l'Invitation au Voyage* et *le Jet d'Eau*. Je fus tout heureusement surprise d'entendre mon père formuler quelques appréciations sur Baudelaire qui m'émerveillèrent ; opinions d'autrui qu'il faisait siennes, comme toujours.

— C'est déjà une actrice, cette petite. Les comédiens, c'est bon sur la scène. Je n'aime pas te voir fréquenter ce monde-là, — déclara mon père le lendemain.

Il n'osa pourtant me défendre d'accepter l'invitation des Keller, qui tinrent à nous rendre notre politesse.

— Voilà ce que c'est de les avoir introduits chez nous, — dit-il. — Maintenant nous ne pouvons pas refuser.

Mon père, toujours soucieux de correction, estimait indécent de se soustraire à ce qu'il considérait comme des obligations mondaines. Mais, celles qui l'ennuyaient trop, il s'en déchargeait sur ma mère ; de sorte qu'il ajouta :

— Vous irez seules toutes les deux. J'aurai un empêchement.

C'était tout ce que je pouvais souhaiter.

La réunion chez les Keller était nombreuse. Artistes et gens de lettres pour la plupart, il y eut, quand nous entrâmes dans l'atelier, une douzaine de présentations. L'atmosphère de la vaste pièce, bizarrement décorée, était pour moi on ne peut plus dépaysante ; pour maman aussi, sans doute, car elle me dit le lendemain qu'elle s'y était sentie un peu « perdue » et qu'elle ne souhaitait décidément pas entrer en relations suivies avec les parents de mon amie. Leur « genre » ne lui plaisait pas. Il faut dire que, malgré sa grande liberté de pensée, ma mère restait extrêmement réservée.

— Pourtant, — ajouta-t-elle, — ton amie me paraît charmante et je ne voudrais pas t'empêcher de la voir. Elle est certainement intelligente et remarquablement douée. Mais ses dons me paraissent si différents des tiens que je m'étonnerais bien que vous puissiez longtemps vous entendre. Tu ne pourras la suivre où elle va et, si tu t'attaches à elle, cela sera pour toi, plus tard, une cause de tristesse. L'autre (comment l'appelles-tu ?)... me paraît beaucoup plus proche de tes goûts.

Cette autre c'était Gisèle Parmentier, que je m'étais si longtemps désolée de ne pouvoir approcher. J'ai dit qu'elle n'avait pas d'autre amie que Sara. Et je n'aurais su dire de laquelle des deux j'étais jalouse, également éprise de l'une et de l'autre, quoique d'une façon très différente. Il n'était point question avec Gisèle d'un attrait physique comme celui de Sara ; mais de quelque chose de profond, d'indéfinissable. Non, ce que je jalousais, c'était leur amitié. Ce soir, pour la première fois près d'elles, j'étais gênée comme une intruse et ne trouvais rien à leur dire, encore que le cœur débordant. J'espérais entendre Sara réciter des vers ; mais une jeune fille, à peine un peu plus âgée

que nous, s'approcha du piano et commença de
chanter en s'accompagnant elle-même. Sara nous
entraîna, Gisèle et moi, dans une autre pièce, vide
et éclairée, qu'une portière retombée séparait de
l'atelier.

— Mes parents lui demandent de chanter, —
nous dit-elle, — pour tâcher de lui décrocher des
élèves. Elle gagne sa vie en donnant des leçons de
piano et de chant. Mais je ne peux supporter ni sa
voix ni sa façon de jouer. Papa non plus du reste ;
mais il est si bon... Et vous, — ajouta-t-elle en se
tournant vers moi, — est-ce que vous êtes bonne ?

Il me parut imprudent de répondre : oui. Au
surplus, je ne savais pas du tout si j'étais « bonne ».
Heureusement qu'elle n'attendit pas ma réponse ;
mais, continuant :

— Gisèle, elle, s'efforce d'aimer tout le monde.
Je dis que ça n'est plus de l'amour ; c'est ce que
Vedel (un de nos professeurs) appelle de la *philan-
thropie*.

— Non, je ne m'efforce pas, — protesta Gisèle.
— Mais maman dit toujours...

— Oh ! madame Parmentier, — interrompit
Sara, — c'est la bonté même. Chaque fois qu'on
bêche quelqu'un devant elle, elle proteste et ne
consent à voir que ce qui peut excuser ses défauts.
Alors, qu'est-ce qu'elle dit ta mère ?

— Qu'il y a beaucoup plus de gens aimables
qu'on ne croit, et qu'il suffit souvent, pour mieux
aimer, de mieux comprendre et pour mieux comprendre, de mieux regarder.

Gisèle avait énoncé cet axiome sans pédanterie
aucune, mais avec une gravité charmante. Il me

sembla que si je ne parlais pas aussitôt, je serais
condamnée au silence pour le reste de la soirée.
Le son de ma voix, par avance, me faisait peur ;
je la sentais toute contractée et c'est avec un grand
effort que je lançai :

— Je crois que je ne suis pas naturellement
bonne, mais que je suis capable d'aimer beaucoup.

Je voulais ajouter qu'il me semblait que l'amour
devait être d'autant plus fort qu'il se faisait plus
exclusif et ne se répandait pas sur tous. J'aurais
voulu surtout qu'en parlant de n'aimer que quelques-uns, Gisèle et Sara pussent se sentir désignées.
Mais comment formuler ma pensée d'une façon
qui ne parût pas prétentieuse ? Cette déclaration,
que je souhaitais faire et qui restait à m'étrangler,
me fit rougir comme si je l'avais prononcée. Gisèle
et Sara me regardèrent ; mais, comme plus un
mot ne consentait à sortir de ma bouche, Sara
reprit :

— Il y a beaucoup de façons d'aimer. Je crois
que je n'ai aucune vocation pour l'amour conjugal,
par exemple.

— Qu'est-ce que tu peux en savoir ? — dit
Gisèle. — Le jour où tu rencontreras...

Sara l'interrompit de nouveau :

Oh ! je ne veux pas dire que je ne m'éprendrai
jamais de quelqu'un. Mais sacrifier pour lui mes
goûts, ma vie propre ; ne plus m'occuper qu'à lui
être agréable, qu'à le servir...

— Quelle drôle d'idée tu te fais du mariage !

— Mais non ; je t'assure que c'est presque toujours comme ça. Une fois mariée, on n'a plus de
temps pour rien de ce qui vous intéressait d'abord.

Il n'y en a plus que pour le ménage ; et pour les enfants, si l'on en a. Regarde Émilie N... (c'était la sœur aînée d'une « ancienne » de notre lycée) : elle ne vivait que pour la musique. Elle a obtenu le Premier Prix au Conservatoire. Depuis qu'elle est mariée, elle n'a plus rouvert son piano.

— Elle ne pouvait pourtant pas l'emporter dans son voyage de noces.

— Non, non ; elle me l'a dit ; elle l'a dit à maman : abandonné pour toujours... et qu'elle avait maintenant bien trop à faire ; et qu'elle ne tenait pas à se perfectionner dans un art qui la séparait de son mari. Ce sont là ses propres paroles.

— Elle n'avait qu'à épouser un musicien, — hasardai-je. Et cette fois c'est la niaiserie de ma réflexion qui me fit de nouveau rougir.

— C'est encore plus prudent de n'épouser personne, — répliqua Sara.

Et comme je reprenais que ça ne devait pas être bien gai de vivre seule, elle ajouta :

— On n'est pas forcément seule pour cela.

Je n'aurais sans doute pas remarqué ce propos, si Gisèle ne s'était aussitôt récriée, de sorte que Sara riposta :

— Avec ça que tu ne penses pas comme moi! C'est seulement à cause de Geneviève que tu protestes.

Alors, sans trop comprendre ni savoir à quoi ce que j'allais dire m'engageait, et par immense désir de ne pas être tenue à l'écart, de témoigner ma sympathie, je m'écriai :

— Mais moi aussi, je pense comme Sara. Il ne faut pas avoir peur de moi ; je sais mal m'exprimer parce que jusqu'à présent je n'ai pu causer avec personne ; mais, si vous me connaissiez, vous comprendriez que je peux être votre amie.

J'avais sorti cela tout d'un trait, dans un immense effort. Tout étonnée et confuse de ce que je venais d'oser dire, le cœur battant, je saisis à la fois une main de Gisèle et l'épaule de Sara contre laquelle je pressai mon front comme pour cacher ma honte. Je sentis l'autre main de Gisèle caresser doucement mes cheveux. Quand je relevai le front, j'étais en larmes, mais parvins pourtant à sourire.

— Écoutez, — dit Sara ; — nous pourrions dans ce cas former à nous trois une ligue ; une ligue secrète ; la ligue pour l'indépendance des femmes. Il faudrait commencer par se promettre de ne parler de ça à personne. Gisèle, jure tout de suite de ne rien raconter à ta mère.

— Mais qu'est-ce que tu voudrais que je lui dise ? Il n'y a rien à raconter du tout.

— Comment, « rien » ! Tu appelles ça « rien » de nous associer toutes les trois et de nous promettre solennellement de rester fidèles à notre programme ?

— Mais, quel programme ?

— Nous nous occuperons plus tard de le rédiger. Mais il faut d'abord jurer de ne parler de cela à personne.

Jusqu'à présent, je n'avais jamais eu de secrets pour ma mère, mais je consentis que celui-ci fût le premier.

— Seulement, — dis-je, — avant de prêter serment, je voudrais savoir à quoi l'on s'engage.

A présent je riais et commençais à me sentir parfaitement à mon aise. Sara reprit :

— Notre ligue s'appellera : l'IF ; des initiales de l'Indépendance Féminine. Notre emblème sera un rameau d'if. Comme nous sommes les fondatrices, personne ne pourra faire partie de l'IF sans être accepté par nous trois. Les nouvelles paieront une cotisation.

— Pourquoi faire ? — demanda Gisèle.

— Pour faire face... On ne peut pas savoir d'avance à quoi. Dans les ligues, il y a toujours une trésorerie. Par exemple, pour secourir les filles-mères.

Gisèle partit d'un grand éclat de rire ; et rien ne me parut plus charmant que de voir s'ensoleiller soudain la gravité de son visage.

— J'attendais ça ! — s'écria-t-elle. — Chez Sara, c'est une idée fixe. Eh bien ! non, ma chère ! Je ne veux pas m'engager à ne jamais me marier. Je prétends que, même dans le mariage, une femme peut garder sa liberté ; et que d'ailleurs elle ne la garde pas forcément dans les unions libres, où les enfants ne sont pas moins une charge que dans les ménages légalisés.

Cette protestation m'éclaira un peu. Je n'aurais pas compris, sinon, quelle pouvait être l'idée fixe de Sara ; mais je n'osais demander des explications, par crainte de paraître trop ignorante ou trop niaise. J'entendais pour la première fois l'expression : « fille-mère » ; elle n'avait aucun sens précis pour moi ; et si elle me choquait un peu, je n'aurais su dire pourquoi. J'avais longtemps cru, candidement, que, pour avoir des enfants, le mariage était une condition *sine qua non*. Pourtant je n'ignorais point qu'ils sont le fruit naturel d'un rapport étroit des deux sexes. Ma mère avait jugé bon de m'en instruire et de me dire qu'en cela l'homme ne différait point des animaux. Mais, ces rapports intimes, je les associais si bien à l'état conjugal, que je ne pensais pas qu'ils fussent admissibles en dehors du mariage. Et pourtant je savais bien qu'il arrivait à des hommes et à des femmes de vivre ensemble sans être mariés. La simple réflexion eût pu m'avertir ; mais précisément je n'y avais jamais réfléchi. Les quelques connaissances théoriques que je pouvais avoir, restaient sans relations directes avec la vie.

La présence de Gisèle et de Sara paralysait ma pensée, je remettais l'examen de la question à plus tard. Ceci seulement m'apparaissait nettement : Sara ne voulait pas se marier, mais ne prétendait pas pour cela rester seule. Je m'abritai derrière la résistance de Gisèle.

— Pour m'engager, j'attendrai que tu te sois décidée, — dis-je.

Malgré moi, je l'avais tutoyée. J'espérais, en réponse, un « tu » de sa part, mais, se tournant vers son amie :

— Vois-tu, Sara : nous pouvons très bien faire une ligue ; mais on s'y engagerait seulement à ne rien faire contre sa conscience et par imitation.

— Ou pour se conformer aux usages, — reprit Sara.

— Ou...i, — dit Gisèle avec un peu d'hésitation. Puis, se tournant vers moi : — Je crois que nous pouvons promettre cela. Maintenant nous allons unir nos mains droites, comme pour le serment du Grütli et dire : je jure de rester fidèle à l'IF.

Ainsi fut fait dans un grand sérieux.

Puis il y eut un assez long silence, comme après la Communion. Et, brusquement, Sara à Gisèle :

— A quoi penses-tu ?

— Je pense, — dit celle-ci, — que, en anglais, *If* veut dire : *si*..., et que notre engagement reste un peu conditionnel...

— Oh ! si tu commences déjà à te défiler...

A ce moment la mère de Sara souleva la portière qui séparait de l'atelier la pièce où nous étions :

— Mes enfants, je viens vous chercher. On a besoin de jeunes filles pour servir les rafraîchissements.

Je crois avoir rapporté fidèlement nos propos. Ils me paraissent aujourd'hui bien enfantins. Mais ils étaient alors pour moi de la plus haute importance, et, les jours qui suivirent, je ne pus cesser d'y penser.

Lorsqu'il fut temps de prendre congé de nos hôtes, maman s'approcha de Gisèle et, à ma surprise :

— J'ai appris que vous habitiez près d'ici, mais c'est sur notre route. Voulez-vous que nous vous reconduisions ? — lui dit-elle.

J'avais déjà parlé de Gisèle à maman et elle savait combien cette proposition me ferait plaisir. Elle-même souhaitait de causer avec Gisèle, tout comme elle avait voulu connaître Sara.

— Votre mère vous laisse sortir seule, — dit maman quand nous fûmes dehors. — Elle a en

vous une confiance que vous méritez, j'en suis
sûre.

— J'ai si grand désir de la mériter que je n'ose
jamais rien faire, — dit Gisèle en souriant. — Je
crois que je la mériterais beaucoup moins si j'étais
tenue plus sévèrement.

Gisèle s'exprimait d'une façon charmante, avec
un parfait naturel et une grâce enjouée qui certainement devaient plaire à ma mère. Je le sentais et
j'en étais ravie. Elle reprit :

— Mais vous non plus, madame, vous n'êtes
pas sévère pour Geneviève. Vous ne l'accompagnez
pas toujours. Elle vient seule au lycée. (Se pouvait-
il qu'elle l'eût remarqué !)

— Je l'accompagne le plus possible... dit ma
mère, — non par absence de confiance mais parce
que j'aime être avec elle. Elle me manquera beaucoup le jour où elle ne sera plus près de moi.

— C'est ce que je me dis aussi pour maman.

Le ton de Gisèle était redevenu très sérieux. Je
compris que Gisèle aimait tendrement sa mère et
soudain me reprochai de n'aimer pas assez la
mienne. Nous marchâmes quelque temps sans rien
dire. Je ne savais pas où habitait ma nouvelle
amie et m'attristai en entendant maman dire
soudain :

— Je crois que nous voici déjà devant votre
porte. Mademoiselle Gisèle, serez-vous assez gentille pour dire à votre mère que j'aimerais bien la
connaître ?

Dès que Gisèle nous eut laissées, je pressai
maman contre moi.

— Qu'est-ce qui te prend, ma petite Geneviève ?

Mais tu vas me faire tomber ! — dit-elle en m'embrassant aussi.

— Je crois que c'est seulement ce soir que je comprends combien tu es gentille.

Elle fit semblant de rire pour cacher son émotion. Puis, comme si de rien n'était :

— Après la fumée de cet atelier, ouf ! ça fait du bien de marcher un peu.

Je n'ai pas encore parlé de mon frère. Bien qu'il ne fût que d'un an plus jeune que moi, il ne tenait pas une grande place dans ma vie. Comme il était de santé délicate, on l'avait choyé plus que moi. Je ne crois pas que ce fût là ce qui m'indisposait contre lui ; mais plutôt certaine façon qu'il avait de flatter mon père pour obtenir de lui ce qu'il voulait. Il y réussissait toujours. Jamais mon père n'avait levé la main sur lui ; tandis que je n'oubliais pas qu'il m'avait une fois giflée. Il venait, comme Salomon, de nous conseiller à mon frère et à moi de prendre exemple sur la fourmi ; je n'avais que neuf ans alors et j'avais osé lui répondre : « Mais, papa, tu nous dis souvent de ne pas ressembler aux animaux. »

Oh ! je n'en ai pas à la gifle (j'ai souvent usé de châtiments corporels avec mon fils) mais je sentais trop que papa me giflait parce qu'il ne trouvait rien d'autre à répondre, et pour me punir d'avoir remarqué son inconséquence. Quant à Gustave, l'inconséquence ne le gênait guère ; comme mon père et à son exemple il prenait peu à peu l'habitude de modifier ses propos, ses goûts, ses pensées, selon l'opportunité du moment. J'ai dit qu'il flattait mon père ; c'était en ayant l'air d'admirer tout ce qui sortait de sa bouche ; mais je crois que ce qu'il admirait surtout c'était cette aisance avec laquelle mon père changeait d'opinion comme on change de vêtement.

Cela permettait à Gustave de le citer à tout propos, et de s'abriter sans cesse derrière un « comme dit papa », dont il se servait d'autant plus qu'il savait que cela m'exaspérait. Il cessa vite d'appliquer sa pensée à rien qui ne lui parût utile et dont il ne pût tirer profit — j'entends le profit le plus pratique et le plus immédiat. Bien que vivant ensemble, nous ne nous parlions guère ; il ne partageait aucun de mes goûts. Je croyais de sa part à de l'indifférence. Je ne soupçonnais pas la sourde hostilité qui grandissait lentement contre moi. Elle éclata brusquement peu de temps après le moment où j'en suis venue de mon histoire. Une exposition particulière des plus récentes œuvres de Keller venait de s'ouvrir. Les journaux en parlaient et louaient particulièrement la toile la plus importante : « l'Indolente », dont *l'Illustration* donnait la reproduction : étendue sur un divan, une jeune femme nue se regardait dans un miroir à main qui cachait sa face.

J'avais entendu Keller déclarer que le sujet d'un tableau n'avait pour lui nulle importance ; seule importait la qualité de la peinture. On s'accordait à trouver celle-ci « magnifique » et j'en étais heureuse à cause de Sara. J'ai dit que mon père ne voyait pas mon amitié pour elle d'un bon œil. Gustave trouva le moyen de flatter mon père en desservant lâchement mon amie. Il savait que je la voyais fréquemment, en dehors des heures de lycée, que je m'attachais à elle de plus en plus ; enfin j'avais eu l'imprudence de la louer devant lui, et de là son désir de la rabaisser.

La scène eut lieu sitôt après le déjeuner. Celui-ci s'était passé dans un silence gros de menaces. Mon père avait cette habitude de lire le journal pendant le repas. Il coupait d'ordinaire sa lecture de réflexions sur la politique, comme pour atténuer ainsi ou excuser ce que cette lecture avait de désobligeant pour ma mère. Chaque jour il trouvait le journal à côté de son assiette ; mais, ce matin, il l'avait laissé sans l'ouvrir. Les sourcils froncés, le regard dur, on sentait qu'il se taisait non parce qu'il n'avait rien à dire mais parce qu'il ne voulait rien dire, qu'il remettait à plus tard. Un orage chauffait, et c'était moi qu'il menaçait ; je n'en pouvais douter, car Gustave, qui savait sans doute à quoi s'en tenir, me regardait d'un air gouailleur. Nous prenions le café dans le bureau de mon père. Je dis « nous » parce que le café de papa était une cérémonie collective ; mais il était seul à en prendre. En quittant la salle à manger :

— Laisse-nous, — dit-il à Gustave, qui, je l'ai su ensuite, se tint dans la pièce voisine, l'oreille collée à la porte, pour ne rien perdre de la scène qu'il avait sournoisement préparée.

Mon père savait fort bien qu'il n'avait aucune prise sur moi ; prévoyant ma résistance il en appelait à ma mère pour en triompher et c'est à elle qu'il s'adressa ; éclatant soudain et frappant, non du poing ce qui eût été vulgaire, mais du plat de la main, sur la table devant laquelle il s'était assis :

— Je ne tolérerai pas plus longtemps que Geneviève fréquente la petite Keller.

C'était dit sur un ton qui n'admettait pas de réplique ; mais maman, de sa voix la plus calme :

— Tu ne prétends pourtant pas la retirer du lycée ?

Papa ne se sentait pas de force à lutter contre nous deux à la fois ; je sentais maman de mon côté et cela me donnait un grand courage ; mais lui, comme pour se l'associer :

— Nous la retirerons du lycée s'il le faut. En attendant, je m'oppose formellement (c'était un de ses mots préférés) à ce qu'elle voie cette petite en dehors des heures de classe. — Et de nouveau, frappant du plat de la main, mais d'une façon si malheureuse que sa cuillère à café lui bondit au nez :

— C'est entendu, n'est-ce pas ?

Comme une fée maligne, la petite cuillère lui faisait rater son effet. J'eus du mal à réprimer un fou rire. Papa savait du reste que je ne le prenais plus au sérieux. Mais ceci mit le comble à sa fureur.

— Ah ! ce n'est guère le moment de plaisanter, — dit-il. — Je me précipitai pour ramasser la cuillère, puis, me relevant et sans le regarder pour ne pas avoir l'air de le braver et désireuse plutôt d'atténuer mon insolence.

— Je n'ai pas l'intention de t'obéir.

Il y eut un pénible silence. Je pus voir que maman était très pâle et que les mains de papa tremblaient.

— Geneviève, — dit-il enfin, — prends garde.
Tu vas nous forcer à recourir à... — Mais ne
sachant sans doute à quoi recourir, il se reprit :
« nous forcer à sévir ».

Puis, se tournant vers ma mère, qu'il voussoyait
dans les grandes occasions afin de faire plus solennel : « Lisez ceci. »

Et papa sortit de la poche intérieure de son
veston une feuille de journal, ou plus exactement
de revue, qu'il déplia et lui tendit.

— Lisez à haute voix, je vous prie.

— C'est Gustave qui t'a remis ça ? — dit maman
sans prendre la feuille. Et elle ajouta plus bas :
— Le misérable.

— C'est ça, — s'écria papa avec emportement ;
— c'est lui que tu vas accuser maintenant.

Alors maman, toujours très calme en apparence,
mais si pâle que je m'attendais à la voir se trouver
mal :

— D'ailleurs j'ai déjà lu ce sale article.

— Alors pourquoi ne nous en as-tu pas fait
part ?

— Parce que je n'ai pas trouvé qu'il y eût à en
tenir compte.

— Mais enfin de quoi s'agit-il ? — demandais-
je en m'emparant de la feuille qui était tombée à
terre.

Voici ce que j'y lus, sous la rubrique : *On raconte
que* :

« Mademoiselle Sara Keller, la propre fille du
peintre illustre, aurait posé pour ce « nu glorieux »

que tout le monde admire au Salon. Toutes nos
félicitations au peintre et au modèle. C'est un mor-
ceau des plus savoureux, et nous remercions l'artiste de nous initier ainsi à l'intimité de sa famille.
Si la morale bourgeoise s'en effarouche, nous redi-
rons à Alfred Keller, avec Baudelaire :

Laisse du vieux Platon se froncer l'œil austère,
Pour peindre le secret de cette vierge en fleur.

L'art n'a jamais fait bon ménage avec la pudeur. »

Je haussai les épaules :
— Et c'est pour cela que tu veux m'empêcher
de voir Sara ?
Papa se tourna de nouveau vers ma mère :
— Est-il admissible, je vous le demande, que
Geneviève continue à fréquenter une fille sans ver-
gogne, qui ne craint pas de s'exposer toute nue
aux regards du public ?
— Si ce sale journaliste s'était tu, personne
n'aurait pu se douter que c'est elle, — dis-je ;
réflexion imprudente qui me mit en mauvaise pos-
ture et permit à mon père de riposter :
— Quand personne n'en aurait rien su, le fait
n'en aurait pas moins été là. Ce n'est pas l'opinion
des autres, c'est la chose elle-même qui m'importe,
tu le sais bien.
Je savais exactement le contraire : mon père se
souciait beaucoup de l'opinion ; il ne se souciait
guère que d'elle ; mais je l'avais laissé prendre
barre sur moi. Il continua :
— Mais, permets... alors, toi, tu le savais ?

— Non, je ne le savais pas. Mais, si je l'avais su, ça n'aurait rien changé à mes sentiments pour Sara. Et, si je l'avais su, j'aurais eu soin de ne rien t'en dire.

— Geneviève ! — dit sévèrement ma mère.

Papa feignit l'étonnement :

— Comment, tu ne prends pas son parti ?

— Je n'ai jamais approuvé son insolence.

— C'est pourtant chez toi toujours qu'elle prend appui contre moi. Mais la question n'est pas là... Alors, Geneviève, tu es bien décidée à ne pas m'obéir ?

— Parfaitement décidée.

Il sembla hésiter quelque temps, puis, comme il s'était ressaisi, et d'un ton vraiment supérieur :

— C'est bien. Je sais ce qui me reste à faire.

Il ne le savait pas du tout ; et, somme toute, il ne fit rien.

En disant à mon père que mes sentiments pour Sara n'auraient pas changé si j'avais su qu'elle avait posé nue devant son père, j'avais menti. C'est ce que je compris aussitôt que je me retrouvai seule. Le cœur gonflé d'une angoisse que je ne m'expliquais pas encore, je courus au salon pour y rechercher le numéro de *l'Illustration* qui venait de donner une reproduction du tableau de Keller. Ce tableau, je ne l'avais pas vu. Je ne le connaissais que par cette photographie. A présent que je savais que cette femme nue c'était Sara, je voulais la revoir ; je ne l'avais pas assez regardée. Le numéro de *l'Illustration* était sur la table mais, lorsque je l'ouvris, je constatai avec stupeur que la reproduction avait été enlevée, soigneusement découpée... par Gustave, pensai-je aussitôt. Je bondis à sa chambre. Sans doute il venait de s'installer devant sa table, mais il feignit d'être plongé dans le travail.

— Tu pouvais bien frapper avant d'entrer, — dit-il sans lever le nez de dessus un atlas.

Je m'efforçais au calme, mais l'indignation faisait trembler ma voix.

— C'est toi qui as pris la photo de *l'Illustration* ?

— Quelle photo ? — dit-il avec une naïveté jouée, et un demi-sourire des plus provocants.

— Ne fais pas l'innocent. Tu sais très bien ce que je veux dire. Qui est-ce qui t'a permis de découper cette photo ?

Il me regarda d'un air de défi gouailleur.

— Je devais peut-être te demander la permission ?

— Gustave, tu vas me rendre cette photo tout de suite.

— Cette photo ! cette photo !... D'abord elle n'est pas à toi cette photo.

Je me précipitai sur lui, hors de moi. Avant qu'il ait eu le temps de se garer, j'avais soulevé l'atlas ; l'image était dessous ; je m'en emparai. Mais Gustave qui s'était dressé brusquement me l'arracha des mains et, la déchirant en petits morceaux :

— Voilà ce qu'elle mérite, mademoiselle Sara Keller, ta belle amie...

Nous restâmes un instant, les yeux dans les yeux, prêts à bondir l'un sur l'autre et pantelants. Gustave n'était pas plus fort que moi. Je crois que,

dans une lutte, j'aurais eu le dessus. Mais ensuite ?...
Du reste il ne me laissa pas le temps de réfléchir ;
comme pris de peur, il courut à la porte et commença de crier : au secours.

J'entendis la porte du bureau de mon père s'ouvrir. Je n'eus que le temps de courir à ma chambre,
m'y enfermai et me jetai sur mon lit en sanglotant.
J'avais un violent mal de tête et m'efforçai de ne
penser à rien. Ce qui me faisait le plus souffrir
c'était de ne pouvoir m'insurger sincèrement contre
le jugement de mon père, de me sentir, en dépit de
moi, scandalisée à l'idée que Sara avait pu s'exposer ainsi, se laisser voir sans vêtements, et devant
son père. Le titre même que le peintre donnait au
tableau « l'Indolente » ne désignait-il pas déjà,
évoquant la baigneuse des *Orientales*, cette Sara
          « belle d'indolence »
à laquelle j'ai dit que mon amie me faisait penser.

J'étais à présent dans le noir ; j'avais fermé mes
rideaux, fermé les yeux ; mais des images du beau
corps ambré tourbillonnaient autour de moi.

J'entendis frapper discrètement à ma porte, puis
la voix douce de maman :

— Ma petite Geneviève, mon enfant... Ouvre-
moi.

Elle me prit dans ses bras, posa sa main sur mon
front, me calma comme un enfant. Elle était venue,
dit-elle, craignant que je ne fusse souffrante. Elle
ne me dit pas un mot de la scène de tout à l'heure,
mais eut soin de m'apprendre que mon père était
sorti avec Gustave. Ceci se passait un jeudi ; il n'y
avait pas de lycée.

— Il fait très beau ; nous devrions sortir aussi.

Sais-tu... si nous allions voir l'exposition de Keller ?
Nous pourrions y aller à pied ; cela te ferait du
bien de marcher.

Je l'embrassai de tout mon cœur, lavai mes
yeux rougis, m'apprêtai, puis chuchotai à son
oreille :

— Sara disait qu'il n'y a pas meilleure que
madame Parmentier ; mais c'est parce qu'elle ne
te connaît pas.

Quand nous fûmes près d'entrer chez le mar-
chand de tableaux où les toiles de Keller se trou-
vaient exposées :

— Tout de même, — dit maman, en s'arrêtant
brusquement, — j'aimerais être sûre que nous
n'allons pas rencontrer là les Keller... ni ton père.

Elle avait de ces petites craintes subites ; il semblait alors qu'une partie de son être cessât de donner assentiment à sa témérité naturelle ; mais
celle-ci reprenait vite le dessus. Comme prenant
une résolution et avec une sorte de gaminerie
enjouée :

— Et puis tant pis !... Nous verrons bien. Lan-
çons-nous.

Il n'y avait heureusement personne de connaissance dans la galerie. Et heureusement aussi, un
certain nombre de paysages, de natures mortes et
de portraits dispersait l'attention des visiteurs et
permettait de ne point rester en arrêt devant le
« nu magnifique ». Exposé en place d'honneur, il
attirait d'abord le regard. Maman le contempla
sans témoigner d'aucune gêne, et cela me rassurait.
Je l'entendis murmurer :

— C'est bien beau.

J'étais habituée aux nudités des musées et admirais sans arrière-pensées l'*Odalisque*, la *Source*, l'*Olympia*, ou le *Déjeuner sur l'herbe*. Mais je ne pouvais cesser de penser que cette jeune femme que je voyais là toute dévêtue, c'était Sara, ma Sara, et, pour cela sans doute, cette toile me paraissait d'une indécence extrême.

J'aurais voulu être seule dans la salle ; les regards des autres visiteurs me gênaient ; il me semblait, dès que je contemplais la grande toile, qu'ils m'observaient. Pourtant j'étais attirée malgré ma souffrance et ma gêne par l'extraordinaire beauté de cette « indolente » qui m'emplissait d'un trouble étrange et tel que jusqu'alors je n'en avais jamais ressenti.

Quelqu'un s'était approché sans bruit derrière moi, et tout à coup je sentis se poser sur mes yeux deux mains fraîches. Je me retournai. C'était Gisèle.

— Comme c'est gai de se retrouver ici ! — s'écria-t-elle. Elle aperçut ma mère.

— J'ai fait votre commission à maman qui m'a dit qu'elle aussi serait heureuse de vous connaître. Justement elle m'accompagne. Seulement je ne sais pas du tout présenter. Puis, prenant sa mère par le bras et l'amenant près de nous, avec gaucherie :

— Maman... Madame X, la mère de ma nouvelle amie ; c'est vrai, tu ne connais pas encore Geneviève... Eh bien, c'est elle.

La mère de Gisèle était charmante et je sentis aussitôt qu'elle plaisait à ma mère. Elle parlait fort bien le français, mais avec un accent très pro-

noncé, qui du reste n'était pas sans charme et semblait ajouter à sa distinction naturelle. Nous étions
devant le grand tableau.

— Il faut reconnaître que monsieur Keller a
bien du talent, — dit maman après échange de
quelques banales politesses.

— Et lui du moins ne craint pas de choisir de
beaux modèles. Les peintres, de nos jours, semblent si souvent avoir peur de la beauté.

Je me demandais avec beaucoup d'inquiétude si
madame Parmentier était au courant du scandale.
Mais le ton de sa voix me rassura. Il ne permettait
de soupçonner dans ses propos ni ironie ni sous-
entendus. Quant à reconnaître Sara, non cela
n'était pas possible. Maman me paraissait aussi
rassurée, car elle avait certainement partagé mon
inquiétude.

— Et peur aussi de faire un tableau qui représente vraiment quelque chose, — dit-elle. — Il
semble que les peintres d'aujourd'hui cherchent
surtout à nous égarer.

Je n'écoutais plus nos parents ; tandis qu'ils
continuaient une conversation si heureusement
commencée, j'entraînai Gisèle un peu à l'écart.

Que savait-elle ? D'une voix tremblante, et si
troublée que je la voussoyai de nouveau, je demandai confusément :

— Vous saviez que Sara... — Mais elle ne me
laissa pas achever :

— J'ai même été la voir poser, — dit-elle, comme
si c'eût été la chose du monde la plus naturelle.

Cette petite phrase entra comme un coup de
couteau dans mon cœur. Il y avait donc entre mes

deux meilleures, mes deux seules amies, une intimité que je ne soupçonnais pas. Pourquoi Sara me
tenait-elle à l'écart ? Oh ! sans doute j'aurais été
gênée de la voir nue. Mais elle n'avait pas à tenir
compte d'une pudeur que j'étais prête à renier moi-
même. Et, gênée, je l'étais bien davantage encore
à l'idée qu'elle s'était montrée nue à Gisèle. Mais
ce n'était plus ici de la pudeur ; non, c'était de la
jalousie.

— Pas un mot à maman. Elle ne se doute de
rien, — ajouta Gisèle. Et comme je lui disais qu'un
méchant article avait mis ma mère au courant :

— J'espère au moins qu'elle ne va pas en parler !
Je la rassurai vite.

Au sortir de l'exposition, madame Parmentier
eut la bonne idée de nous inviter à prendre le thé
dans une pâtisserie voisine. Ma mère et elle semblaient fort bien s'entendre et n'arrêtaient pas de
parler ; mais Gisèle et moi demeurions silencieuses.
Au moment de nous quitter je voulus rendre à
madame Parmentier le catalogue de l'exposition
qu'elle m'avait prêté ; mais elle refusa de le reprendre :

— Non, Geneviève, conservez-le en souvenir de
cette agréable journée.

J'étais heureuse de le garder, à cause de la très
bonne reproduction du tableau qui s'y trouvait,
et, sitôt de retour à la maison, je m'enfermai
dans ma chambre pour la contempler à loisir.
Mon imagination faisait effort pour revêtir ce
beau corps souple de la robe que Sara portait
d'ordinaire en classe ; cette robe de tous les
jours dans laquelle je la revis le lendemain et

dont il me fut beaucoup plus facile de l'imaginer
dépouillée. Oui, mon regard, malgré moi, la dévê-
tait et je l'imaginais en « Indolente ». Une angoisse
inconnue me décomposait, que je ne savais pas
être du désir parce que je ne pensais pas que l'on
pût éprouver du désir sinon pour un être de l'autre
sexe ; et, par instants, sur le pupitre devant nous
où je voyais la main de Sara posée, ma main
s'approchait de la sienne, involontairement car
j'avais perdu tout empire sur moi, puis se retirait
brusquement si Sara remarquait mon avance ;
et toute cette matinée du vendredi, je restai
sans lui dire un seul mot, sans rien dire non
plus à Gisèle que je vis, au sortir du lycée, s'éloi-
gner en compagnie de Sara, avec un déchirement
de cœur et en proie à une abominable tristesse :
maman ne m'avait-elle pas dit, la veille au soir,
que je devais cesser de fréquenter Sara en dehors
de nos heures de classe ?

Oui, ce jeudi soir, peu de temps après notre
retour de l'exposition, maman était venue me
retrouver dans ma chambre.

— Ma petite Geneviève, mon enfant chérie, —
commençait-elle de sa voix la plus tendre, qui me
faisait fondre le cœur et me laissait sans résistance
— j'ai beaucoup réfléchi à ce que je vais te dire ;
il m'en coûte beaucoup de devoir te peiner...

Elle hésita quelques instants, mais déjà je savais
ce qui allait suivre et je commençai de murmurer :
« Je ne peux pas. Je ne peux pas. » Elle reprit :

— Je ne voudrais pas que tu te méprennes.
C'est pour ton bien que je dois te demander cela.
Ton amitié pour Sara m'inquiète. Je crains qu'elle

ne te réserve pour plus tard beaucoup de souffrances et qu'elle ne t'entraîne plus loin que tu ne
voudrais aller.

Elle s'était assise et m'avait prise sur ses genoux,
comme autrefois. La tête sur son épaule, à présent,
je sanglotais :

— Oh ! maman, tu ne comprends pas. Tu ne
peux pas comprendre.

Mais elle ne se méprenait assurément pas sur la
violence de ma passion ; et c'est là même ce qui
l'inquiétait :

— Ma petite Geneviève, je crois que je ne te
comprends que trop bien, et peut-être mieux que
tu ne te comprends toi-même. C'est bien pour cela
qu'il me faut t'avertir. Je crains que tu ne t'engages
sur un chemin dangereux, que plus tard il te serait
beaucoup plus difficile que maintenant d'abandonner.

Certainement elle n'osait s'exprimer complètement et je devais comprendre sa pensée entre ses
paroles. Alors, ne trouvant pas d'autre argument,
je lui sortis une phrase absurde et que tout aussitôt
je regrettai :

— Mais maman, si je cesse de la voir, j'aurai
l'air d'obéir à papa.

— Oh ! Geneviève, — dit-elle, — cette vilaine
pensée n'est pas digne de toi. Je suis sûre que
déjà tu en as honte.

— Et puis... Et puis, — repris-je en sanglotant,
— comment veux-tu que je fasse ? Tu sais que
je la vois chaque jour au lycée, elle est assise
auprès de moi... Qu'est-ce que tu veux que je lui
dise ?...

— Je puis demander à la directrice de te faire changer de place.

— Oh ! non, maman, je t'en supplie, ne fais pas cela ; que je puisse au moins la voir.

— Mais c'est cela qui te fait du mal, ma pauvre petite. Ah ! je voudrais tellement t'aider, contre toi-même...

Ce que fut cette matinée du lendemain, je l'ai dit. Je ne pus prêter au cours aucune attention. Lorsque je rentrai pour déjeuner, j'étais dans un tel état d'agitation que je vis bien que maman s'en alarmait. Quant à mon père il avait trouvé le moyen de me punir : c'était de ne plus avoir l'air de s'apercevoir de ma présence ; mais que pouvais-je souhaiter de mieux ? Après le repas maman vint me retrouver dans ma chambre où je m'étais retirée.

— Es-tu malade, ma pauvre Geneviève ? Tu es toute tremblante et tu n'as rien pu manger...

Malade, mon cœur l'était certainement. Pourtant je rassurai ma mère mais la suppliai de ne plus me faire retourner au lycée. Continuer à voir Sara et lui battre froid, alors que tout mon être s'élançait vers elle, c'était vraiment au-dessus de mes forces. Le péril devait paraître bien grand à ma mère, car elle accepta de me garder près d'elle. Mon père eut un triomphe facile. Il avait toujours désapprouvé le lycée. A l'entendre, les femmes n'avaient pas tant besoin d'instruction que de bonnes manières ; et il ajouta que, du reste, c'était ce que pensaient, avec Molière, tous les gens sensés. Ce n'était point là mon avis, ni celui de ma mère, fort heureusement. J'avais grand appétit de savoir.

Tout ce qu'on m'enseignait au lycée m'intéressait
beaucoup ; et ne serait-ce pas mon instruction,
pensais-je déjà confusément, qui, plus tard, permettrait mon indépendance ? Le baccalauréat
n'était que pour l'an prochain ; je comptais bien
m'y présenter et ne pas m'arrêter là. Il fut convenu
que je quitterais le lycée pour des raisons de santé.
Devrais-je cesser de voir Gisèle ? Madame Parmentier avait beaucoup plu à ma mère· ; Gisèle
aussi du reste. Ma mère estima qu'on leur devait
une explication de mon absence. Le gênant, c'est
que Gisèle était l'amie de Sara. Je vécus quelques
jours dans un grand désarroi. J'acceptais de me
soumettre aux décisions de ma mère. Je la sentais
en opposition constante avec mon père et ma
résistance à l'autorité paternelle se fortifiait de ma
soumission filiale envers elle. Mais l'amitié n'avait-
elle pas aussi ses devoirs, même sans le serment
solennel prononcé lors de la constitution de l'IF ?
Et qu'allaient penser de moi Gisèle et Sara ?
Quelle estime garderais-je de moi-même, si je les
laissais croire que je les rayais soudain de mon
cœur. Je suppliai maman de me laisser parler à
Gisèle. Elle-même irait voir madame Parmentier
qui me ménagerait un entretien secret avec sa
fille. Ce que maman put dire à madame Parmentier, je ne sais ; mais, quand elle revint de sa visite,
un air joyeux et malicieux mettait une fossette à
chacune de ses joues.

— Sais-tu ce que m'a proposé madame Parmentier ? — me dit-elle aussitôt. — De te donner
chaque jour une leçon d'anglais. Tu irais chez elle
aux heures de lycée ; car elle pense comme moi

qu'il vaut mieux que Gisèle et toi, à cause de Sara, ne vous rencontriez pas trop souvent.

— Alors, tu lui as parlé de Sara ? Tu lui as dit ?...

— Ma petite Geneviève, je n'ai rien eu à lui apprendre. Gisèle avait tout raconté à sa mère, le lendemain de notre visite à l'exposition.

— Elle m'avait pourtant bien recommandé de ne rien lui en dire.

— Eh bien, tu vois que la confiance en sa mère a été la plus forte, — dit maman. Puis, elle ajouta un peu naïvement : — Il est vrai que madame Parmentier venait de prendre connaissance du vilain article.

— Mais madame Parmentier, elle, n'a pas défendu à Gisèle de voir Sara.

— En effet. Cela montre que nous n'avons pas tout à fait les mêmes idées sur ce point. Et puis elle sait que Gisèle est plus raisonnable que toi.

— Ou qu'elle aime Sara moins que moi.

— Moins passionnément que toi ; oui, sans doute.

Si je me suis attardée à cette première passion de ma jeunesse, c'est en raison du confus éveil de mes sens. Sitôt après ce que j'en ai dit, je tombai malade. La scarlatine où, comme dirait Freud, se réfugiait le désarroi de tout mon être, secourut à la fois ma mère et moi-même. Ma mère me dit plus tard que, durant mon délire des premiers jours (car j'avais une très forte fièvre), l'image de Sara me hantait. Mais, quand je commençai de me remettre, mes idées avaient pris un autre cours.

DEUXIÈME PARTIE

Madame Parmentier était beaucoup plus instruite que ma mère, qui n'avait commencé à lire avec méthode et soin qu'assez tard. Les leçons qu'elle me donna différaient beaucoup de celles du lycée et étaient surtout occupées par la conversation et la lecture. Dans la grande bibliothèque où elle me recevait, les auteurs anglais voisinaient avec les français et les italiens, car elle parlait également bien ces trois langues. Maman m'accompagna d'abord ; mais dès la troisième leçon nous laissa, madame Parmentier lui ayant avoué que, seule avec moi, elle se sentirait mieux à l'aise. Le plus souvent elle me faisait lire et s'occupait alors à corriger mon mauvais accent. Je préférais l'entendre lire, encore que souvent je ne la comprisse pas très bien ; mais elle reprenait alors avec une patience infinie. Le son de sa voix me ravissait presque à l'égal de celle de Sara. Les poètes avaient sa préférence et elle les prétendait particulièrement susceptibles de m'apprendre à scander convenablement mes phrases. Mais je ne lui cachai pas long-

temps mon peu de goût pour le rêve et la poésie.
Alors nous commençâmes à discuter.

— Les fleurs, il est vrai, ne nourrissent point
l'homme, — disait-elle, — mais elles font la joie
de la vie. Quand vous aurez fait un jardin potager
des plus beaux et des plus odorants parterres, vous
m'aurez sans doute donné à manger, mais enlevé
du même coup le goût de vivre.

Et, comme je ripostais que, non plus que de
fleurs mon corps, mon esprit ne se pouvait nourrir
de comparaisons :

— Oh ! si maintenant vous n'aimez même plus
les images ! — reprenait-elle en souriant plaintivement.

Ainsi se plaisait-elle dans un monde imaginaire
qui, soutenait-elle, existait dès l'instant qu'elle
commençait d'y croire. De même croyait-elle à la
vie éternelle et les compensations qu'elle en espérait l'aidaient-elles à prendre son parti des misères
et des imperfections de cette terre.

A cette époque déjà, je m'attachais moins volontiers aux fictions qu'aux réalités et les romans ne
m'intéressaient point tant par la beauté de leurs
peintures que par les renseignements qu'ils peuvent nous donner sur la vie. C'est ce qui explique
qu'en écrivant ce récit, je ne tienne guère compte
que de ce qui pourra peut-être, et si peu que ce
soit, éclairer ou instruire. Je n'aime pas assez les
divertissements pour chercher moi-même à divertir.
C'est plutôt *avertir*, que je voudrais. Je crois, monsieur Gide, que vous aussi vous serviez, comme je
fais ici, de ce mot. Permettez que je vous l'em-
prunte. Oui, je me tiendrai pour satisfaite si quel-

que jeune femme qui me lira trouve dans ce que
j'écris ici un *avertissement* et si ce livre la met en
garde contre certaines illusions dont j'eus à souffrir et qui risquèrent de gâcher ma vie.

« Étranger aux raffinements de l'esprit, et insou-
cieux de toute métaphysique. » Je lisais hier ces
mots dans la belle étude de Marthe de Fels sur
Vauban. Ils me peignent excellemment. Je lis
encore avec ravissement, dans cette même étude,
une autre phrase, où je me trouve : « N'était-ce
pas la condition même du réalisme de son esprit
concret, où les fumées du songe n'avaient point
droit d'asyle dès lors qu'il s'agissait d'œuvrer... »
Car je n'admettais pas, si jeune encore que je fusse
en ce temps, que je ne pusse et dusse être utile.
La poésie, la littérature même, me paraissaient les
fleurs d'une vie désœuvrée ; et j'avais l'oisiveté
en horreur.

Me voici amenée à préciser déjà certains traits
de mon caractère qui ne s'accentuèrent et dont je
ne pris conscience que par la suite. Mon opposition
avec madame Parmentier, malgré la grande affection que je pouvais avoir pour elle, m'aida beaucoup. Nous nous développons dans la sympathie,
mais c'est en nous opposant que nous apprenons
à nous connaître. Cette opposition n'avait du reste
rien de commun avec celle qui m'animait contre
mon père et qui s'aggravait alors de mépris. Je
n'avais pour madame Parmentier que de l'estime.
En dépit de cette opposition, je m'entendais avec
elle à merveille, et elle ne laissait pas d'être sensible
au zèle que j'apportais au travail. Cependant j'avais
également besoin d'autres leçons que les siennes,

et maman recourut à un professeur pour l'histoire
et la géographie. Le docteur Marchant, si surmené
qu'il fût, consentit à me donner une heure tous les
deux jours, pour les sciences. Ces leçons avaient
lieu chez lui, le soir, et se prolongeaient souvent en
causeries où je trouvais plus grand profit encore
que dans les leçons elles-mêmes.

Le docteur Marchant possédait tout ce qui manquait à mon père : et d'abord une valeur réelle, des
connaissances solides et le parfait mépris des feintes
et du faux semblant. Son aspect bourru cachait
une nature très tendre. L'admiration que j'avais
pour lui n'empêchait pas que je ne m'opposasse
également à lui, mais pour d'autres raisons encore.
Comme les entretiens que j'avais avec lui ne prirent
point fin avec mes examens mais reprirent par delà
de plus belle, il est possible que ce que je vais en
dire se reporte plutôt à 1914, ou même un peu plus
tard, et que ne devinssent sensibles qu'à mon esprit
un peu mûri certains traits de son caractère avec
lesquels je ne pouvais m'accorder. Son dévouement,
son désintéressement absolus, cette sorte d'ardente
charité qui le penchait vers les souffrances, tout
cela reposait sur un nihilisme désespéré. Quant à
moi, chez qui les sentiments religieux n'avaient
jamais été bien vifs (et ceux qu'affectait mon père
suffisaient à m'en dégoûter), je cessai très vite de
croire à quoi que ce fût d'irréel. Mais, tandis que
le docteur Marchant acceptait la profonde misère
des hommes, « que nous pouvons tout au plus adoucir un peu », disait-il, je ne pouvais admettre que
là se bornât notre espoir. Il me traitait de chimérique lorsque je parlais d'une amélioration possible

de l'état social, et cela me faisait enrager ; j'en
parlais alors comme une enfant et ce que j'en
disais, évidemment, prêtait à sourire. Je le sentais ;
mais j'en tenais pour ma « chimère ». Je tenais
ferme. Cet espoir qui m'habite a dirigé ma vie. Il
était, en ce temps, bien vague encore et j'aurais
peut-être mieux fait d'attendre pour en parler ;
je l'ai fait par impatience.

Je relis ce que je viens d'en dire et qui me satis-
fait bien peu. Dès que l'on ne fait plus partie d'une
église, combien hasardeuse, incertaine et osée paraît
toute profession de foi ! Je viens de lire dans une
revue américaine les réponses à une enquête :
« What do you believe ? » Cette question était
adressée aux plus illustres écrivains, savants,
hommes d'États, financiers, industriels, etc. de
tous les pays. Seuls ont paru répondre avec assurance ceux qui se rattachent à l'orthodoxie catholique. Mais la vraie réponse des autres, c'est leur
œuvre entière, c'est leur vie. On peut rester tâton-
nant lorsqu'il s'agit de parler et résolu dès qu'il
s'agit d'agir. Je n'ai que faire des théories, et crois
savoir très bien ce que je veux, encore que je sache
très mal le dire. Du reste, s'il m'était possible de
l'exprimer en quelques phrases, je n'aurais pas
entrepris ce long récit.

Madame Marchant avait été l'amie d'enfance de
ma mère. Modeste jusqu'à l'effacement, presque
insignifiante, du moins la voyais-je telle à cette
époque de ma vie, car j'avais en ce temps peu de
goût pour découvrir ce qui se cache sous l'apparence
des êtres et méprisais la modestie ; si mon père
représentait pour moi le type d'homme que je ne

voulais pour rien au monde épouser, madame Marchant représentait le type de femme que je ne voulais point être. Rien ne justifiait à mes yeux
l'amour que lui témoignait le docteur ; elle me
paraissait négligeable. Elle vivait dans l'ombre et
la dévotion de son mari. Le ménage était assurément des plus unis, en dépit des cyniques propos
du docteur qui tenait le mariage pour « une insti-
tution ridicule ». Il ne craignait pas de prononcer
ces mots devant moi, si jeune que je fusse alors,
et malgré les regards courroucés de mon père qui
professait le plus grand respect pour « cette insti-
tution sacrée ».

Instruite de bonne heure par ma mère qui ne
pensait pas que l'ignorance pût être jamais de
quelque profit que ce soit, je savais que les enfants
ne sont pas les fruits spontanés du sacrement du
mariage ; j'avais compris aussi que les rapports
charnels qui permettent la procréation se passent
souvent de l'approbation de l'Église et de la loi.
Mais, dès l'instant que les gens étaient mariés,
pourquoi certains couples demeuraient-ils stériles ?
C'est ce qui me préoccupait beaucoup, et particulièrement lorsque je pensais au ménage de nos amis
Marchant.

— C'est une question affreusement indiscrète,
— me dit ma mère, lorsque je la lui posai. — Tu
sais bien que je ne refuse presque jamais de te
répondre... Mais d'abord il y a beaucoup de ménages qui préfèrent ne pas avoir d'enfants.

— Pourquoi ?

— Mais, mon petit, pour une quantité de raisons
morales ou matérielles plus ou moins valables.

— Comment font-ils pour ne pas en avoir ?

— Cela, tu n'as vraiment pas à le savoir maintenant, — dit maman en rougissant un peu, non
tant sans doute de ma question que de son refus
d'y répondre.

J'avais pourtant posé cette question le plus
ingénument du monde et sans du tout en soupçonner l'indécence. N'ayant encore, du désir sexuel
et de la volupté, que l'idée la plus confuse, la
question des rapports conjugaux m'inquiétait beaucoup moins que celle de la progéniture.

— Tu crois que les Marchant préfèrent ne pas
avoir d'enfants ? — demandai-je.

— Non, je ne le crois pas, — dit maman ; et
bien vite elle ajouta : — Mais on n'obtient pas
toujours ce que l'on souhaite.

— Alors tu crois qu'ils voudraient bien avoir
des enfants, mais qu'ils ne peuvent pas ?

— Mon petit, tu vois comme c'est dangereux
de commencer à te répondre, — dit maman, la
main sur la poignée de la porte et battant en
retraite. — Tu veux toujours en savoir davantage.

Le fait est que ces quelques phrases de maman
me laissaient bien insatisfaite. Et, comme la
question restait pendante en mon esprit, je résolus,
avec l'intrépidité cynique et ingénue de mon jeune
âge, de m'en ouvrir directement au docteur ; mais
il fallait pour cela me trouver seule avec lui, et
madame Marchant assistait presque toujours aux
leçons. Cette conversation se trouva donc remise
à par delà les vacances.

Celles-ci, que je passai en Bretagne, auprès de

mes cousins X..., furent presque toutes occupées
par la lecture.

Les questions d'ordre sexuel, sur lesquelles certains peuvent s'étonner ou se scandaliser de me
voir m'attarder dans ce récit, étaient bien aussi
celles qui m'intéressaient particulièrement dans les
livres que je lisais. A ma curiosité ne se mêlait du
reste aucune sensualité. Il avait fallu tout le prestige de la voix de Sara pour me faire prendre goût
à la poésie de Baudelaire. Une sorte de crainte
instinctive m'écartait des images licencieuses, de
tout ce qui respire le désir ou le plaisir. Je n'étais
pas sentimentale non plus... Non, ce qui occupait
mon esprit, c'est tout ce qui touchait à ce qu'on
appelle pompeusement : les prérogatives de la
femme. J'ai dit que je ne m'intéressais guère aux
romans. Les peines de cœur ne me paraissaient pas
valoir la peine qu'on prend à les peindre. Mais,
pour qu'un livre trouvât grâce à mes yeux, il suffisait parfois d'une simple phrase, comme cette
déclaration que je trouvai dans l'absurde *Jane
Eyre* et copiai tout aussitôt dans un cahier que je
réservais à cet usage et sur lequel, en guise de
titre, j'avais inscrit les deux lettres : I.F., en souvenir de la *Ligue pour l'Indépendance Féminine* et
de mes deux premières amies.

« Il est vain de dire que les créatures humaines
doivent trouver leur contentement dans le repos ;
ce qu'il leur faut, c'est l'action, et elles la créeront
si la vie ne la leur fournit pas. Il y a des millions
de gens condamnés à une vie plus tranquille que
la mienne, et des millions sont en état de silencieuse
révolte contre leur sort. Personne ne sait combien

de rébellions (indépendamment des rébellions poli-
tiques) fermentent dans la masse vivante qui peuple
la terre. Les femmes, on les suppose calmes généralement ; mais les femmes sentent, tout comme
les hommes ; elles ont besoin d'exercer leurs
facultés et, comme à leurs frères, il leur faut un
champ d'action pour leurs efforts. Autant que les
hommes, elles souffrent d'une contrainte trop
stricte, d'une stagnation trop absolue. C'est par
étroitesse d'esprit que leurs compagnons plus favo-
risés prétendent qu'elles doivent borner leurs soins
à la cuisine et à la couture, aux arts d'agrément
et à la broderie. Il n'y a aucune raison de les
condamner ou de se moquer d'elles lorsqu'elles
aspirent à plus d'action ou à plus de savoir que
l'usage n'a décrété qu'il convenait à leur sexe[1]. »
(*Jane Eyre*, chap. XII.)

De tous les livres que je lus alors, aucun n'oc-
cupa plus longtemps ma pensée que *Clarissa Har-*

---

[1]. « It is vain to say human beings ought to be satisfied
with tranquillity : they must have action ; and they will make
it if they cannot find it. Millions are condemned to a stiller
doom than mine, and millions are in silent revolt against their
lot. Nobody knows how many rebellions besides political
rebellions ferment in the masses of life which people earth.
Women are supposed to be very calm generally : but women
feel just as men feel ; they need exercise for their faculties,
and a field for their efforts as much as their brothers do ; they
suffer from too rigid a restraint, too absolute a stagnation,
precisely as men would suffer ; and it is narrow-minded in
their more privileged fellow-creatures to say that they ought
to confine themselves to making puddings and knitting
stockings, to playing on the piano and embroidering bags.
It is thoughtless to condemn them, or laugh at them, if they
seek to do more or learn more than custom has pronounced
necessary for their sex. »

lowe. Malgré mon peu de goût pour les fictions, c'est sans en sauter une ligne que je lus les cinq volumes de ce roman jadis célèbre et qui ne trouve aujourd'hui, je crois, plus beaucoup de lecteurs. Sans doute eut-il sur moi une influence considérable (pas tout à fait, je pense, celle que pouvait souhaiter Richardson) ; c'est pourquoi je dois en parler. J'y remarquai d'abord que tous les malheurs de Clarissa viennent de sa dévotion, de sa soumission à ses parents, de son respect pour son odieux père. Il fallait bien tout l'art de Richardson, pensai-je, pour que cette humilité excessive ne suffît pas à la rendre ridicule à nos yeux. En la douant de toutes les vertus, en la faisant infiniment supérieure à son père, le romancier rendait d'autant plus révoltante la soumission de cet ange à l'autorité monstrueuse de cet être borné.

Mais bien plus encore m'indignait l'insigne importance accordée, dans ce livre, à la chasteté. Encore que Clarissa ne se montrât jamais de vertu plus triomphante qu'après qu'elle eut été lâchement déflorée, cette assimilation de l'honneur à la pureté me paraissait proprement inadmissible. En ce temps je ne pouvais savoir combien souvent, dans l'abandon charnel, l'âme même se démantèle. Il entrait du reste beaucoup de résolution et de parti pris dans mes indignations d'alors, et mes réactions les plus sincères devaient bientôt m'apprendre combien je demeurais différente de ce que j'avais la prétention d'être. Quoi qu'il en fût, je protestais qu'une femme peut être vertueuse autrement que par sa réserve et que le plus ou moins d'honnêteté réside ailleurs que sur le plan des

rapports charnels. Tout ceci se ressentait beaucoup
encore des conversations avec mes deux amies,
où nous poussions jusqu'au défi notre mépris du
convenu et de l'opinion du grand nombre. Nos
propos étaient d'autant plus hardis qu'ils n'entraînaient point la participation de nos sens. Toutes
trois nous admettions que l'accouplement pût se
passer d'autorisation légale ; toutes trois nous
nous déclarions volontiers résolues à la maternité
en dehors du mariage ; mais si, moi du moins, je
parlais aussi aisément et légèrement de l'amour,
c'est que je ne songeais qu'à ses suites ; c'est que
j'ignorais la volupté et n'avais même aucune
appréhension du plaisir, de sorte que je pensais
pouvoir disposer toujours librement de moi-même.
Certainement, mon trouble auprès de Sara eût pu
m'avertir ; mais s'il étourdissait tout mon être,
c'était de façon trop vague pour que j'y pusse alors
reconnaître précisément du désir. Si quelque
initiation précoce ne vient pas le localiser, le désir
peut rester épars et ne se manifester d'abord que
par un insolite désarroi. Après tout, ce que j'en
dis n'était peut-être vrai que pour moi. Sara, je
crois, était beaucoup moins innocente et sans doute
à l'attrait de sa beauté s'ajoutait-il celui d'une
lascivité secrète ; et c'était là, je crois, ce qui me
troublait.

Je connaissais le docteur Marchant depuis ma
plus tendre enfance et suis restée longtemps sans
comprendre pourquoi ma mère ne l'avait pas
épousé de préférence à mon père. Mais une conversation avec maman, et plus tard son journal
m'apprirent que le docteur Marchant lui fut pré-

senté par mon père, et que tout d'abord le docteur
lui avait beaucoup déplu. Évidemment, il peut
paraître très froid à première vue ; mais c'est, je
crois, qu'il a beaucoup à se défendre contre les
entraînements de son cœur. Dès qu'il se laisse aller,
son regard se charge de tendresse. Je l'entendais
traiter de « matérialiste » par mon père, et de
« pessimiste » par ma mère, longtemps avant de
savoir ce que ces mots voulaient dire. Quand, plus
tard, je commençai de discuter avec lui, c'est
contre son pessimisme seulement que je protestais.

— Mais, mon petit (il m'appelait « mon petit »,
comme faisait ma mère), je ne te blâme pas d'avoir
ces idées-là, — me disait-il lorsque je déclarais que
mieux vaudrait tâcher d'empêcher la misère que
de chercher seulement à la soulager. — C'est de
ton âge. On rêve à des réformes de la société, à
des répartitions plus équitables. Mais les systèmes
les meilleurs ne rendront pas les hommes moins
mauvais. — Et il se plaisait à citer le mot de Cham-
fort : « Quiconque, à quarante ans, n'est pas misan-
thrope, n'a jamais aimé les hommes », ajoutant
qu'il avait décidément passé la quarantaine.

A ce moment, nous étions seuls, par grand
hasard, le docteur et moi ; il dit encore :

— A combien de gens ne nous intéressons-nous
pas, simplement parce que nous les voyons souffrants et misérables ; lesquels, guéris et fortunés,
nous paraîtraient aussitôt répugnants. Allons ! la
voici qui pleure ...

En ce temps-là, je pleurais encore pour un rien,
en dépit de ma volonté, si tendue qu'elle pût être,
et cela me fâchait beaucoup contre moi-même.

Cette fois encore, je n'avais pu retenir mes larmes ;
mais c'était d'indignation que je pleurais et de
dépit de ne trouver rien à répondre, ou, du moins,
de ne pouvoir exprimer les pensées qui se pressaient
en moi et naissaient non point tant dans ma tête,
me semblait-il, que dans mon cœur. Je n'étais pas
si jeune que je ne pusse me douter déjà que nombre des maux dont souffrent les hommes sont dus
non point tant à des causes réelles, qui en elles-
mêmes n'auraient rien de bien douloureux, qu'aux
jugements que l'on porte sur elles. Je venais de
lire *Adam Bede* avec madame Parmentier et songeais en particulier à la détresse d'Hetty Sorrel.
Je ne consentais point à la considérer comme coupable pour s'être laissé séduire, puis pour avoir
abandonné désespérément son enfant, accablée
qu'elle était par la condamnation que d'avance
elle sentait peser sur elle. Ce qui me paraissait
condamnable, c'était d'abord l'amant qui l'avait
abandonnée, puis la société qui faisait peser sur
elle seule une réprobation que méritait surtout son
séducteur. J'eusse voulu la citer en exemple ; mais
je doutais que le docteur Marchant eût lu ce livre,
et c'est avec madame Parmentier que je repris et
poursuivis la discussion.

— Vous auriez condamné Hetty Sorrel ?

— Je ne me sens le droit de condamner personne.

— Ce n'est pas une réponse. On propose un cas
particulier et vous vous réfugiez dans des géné-
ralités.

— Je crois que j'aurais eu pitié d'elle, comme
eut pitié d'elle Dinah Morris, tout en la reconnaissant coupable.

— Coupable de quoi ?

— A quoi sert de le demander ? Coupable d'abord de s'être laissé séduire, puis d'avoir abandonné son enfant.

— Ce n'est qu'à contre-coeur qu'elle l'abandonne et parce qu'elle ne pouvait faire autrement. C'est le jugement de la société qui la force à commettre ce crime. Elle sait qu'il n'y a plus de place, dans la société, ni pour elle, ni pour son enfant. C'est cela que je trouve monstrueux.

— J'ai pitié d'elle parce qu'elle se repent.

— Et elle se repent parce que Dinah Morris lui fait espérer que le pardon de Dieu suivra sa repentance. Mais la vraie criminelle, ce n'est pas Hetty, c'est la société ; et quand on pense que c'est au nom de Dieu que la société la condamne !...

— Voyons, Geneviève, vous ne pouvez pas l'approuver.

— Je la plains de tout mon coeur ; mais c'est la société que je désapprouve... Madame Parmentier, je voudrais savoir... Vous trouvez que c'est très mal d'avoir un enfant sans être mariée ?

— C'est très mal de mettre au monde un enfant destiné à être malheureux.

— Pourquoi forcément malheureux ?

— Comment ne serait pas malheureux un enfant sans père ?

— Oh ! madame Parmentier, ce n'est pas à moi qu'il faut dire cela ; vous ne me parleriez pas ainsi si vous connaissiez bien mon père. Et, du reste, faut-il vraiment que le père soit un mari, pour aimer son enfant ?

Madame Parmentier reprenait sans me répondre :

— Un pauvre enfant qui risque de n'être accueilli nulle part, de recevoir partout des rebuffades et des affronts.

— Eh ! c'est cela précisément qui m'indigne. Ne trouvez-vous pas monstrueux que...

Mais elle continuait sans m'entendre :

— De sentir mépriser sa mère et, ce qui est encore pis : de devoir la mépriser lui-même.

— Oh ! madame Parmentier, comment pouvez-vous dire cela ? Alors, selon vous, pour avoir le droit d'avoir des enfants, une femme doit consentir à lier toute son existence à un homme que peut-être elle ne pourra pas continuer d'aimer ?

— Elle n'a qu'à le bien choisir.

— Et si encore c'était elle qui choisissait ! Mais vous savez bien que le plus souvent elle ne peut que se laisser choisir.

— Elle reste libre de refuser, si celui qui la demande en mariage ne lui plaît pas.

— Elle peut s'illusionner d'abord, comme je crois qu'a fait ma mère.

— Geneviève, vous ne devez pas juger vos parents. Je ne connais que peu votre père ; mais il m'a paru charmant.

— Lorsqu'elle l'a épousé, il paraissait charmant à ma mère.

— Je considère votre mère comme une épouse irréprochable.

— C'est-à-dire qu'elle s'est toujours sacrifiée. Approuvez-vous quelqu'un de grand mérite, comme ma mère, de se sacrifier toujours à quelqu'un qui ne le vaut pas ?

— Un ménage uni ne va jamais sans de petits sacrifices réciproques, qui grandissent et embellissent celui qui les fait.

— Madame Parmentier... Pourquoi appelle-t-on : tromper son mari, le seul fait de ne pas lui être fidèle ? Cela peut pourtant bien aller sans tromperie. Et ne le trompe-t-on pas davantage, et soi-même avec, en lui restant fidèle sans plus l'aimer ?

— Certainement pas. Quelles questions vous me posez là ! On peut ne plus s'aimer autant qu'aux premiers jours ; mais aimer un autre homme, c'est là que tromper commence. Quant à moi je n'ai jamais eu de mérite à demeurer fidèle, car je n'ai jamais cessé d'aimer mon mari. Mais, même en aimant un peu moins, le mariage contient une promesse de rester fidèle à la foi jurée.

— Aussi je préfère ne jurer point.

Sans doute ai-je beaucoup simplifié cette conversation, qui fut longue. Elle eut lieu au printemps en 1914. Je me souviens d'un énorme bouquet de lilas, sur la grande table de la bibliothèque où nous nous tenions ; il répandait un parfum si fort que madame Parmentier me demanda d'ouvrir la fenêtre, bien que l'air du dehors fût encore froid. J'aurais peut-être dû dépeindre les lieux, et madame Parmentier, et moi-même ; mais ce n'est pas un roman que j'écris, et les descriptions ne m'importent guère, dans les livres d'autrui non plus.

J'avais passé en novembre la seconde partie de mon baccalauréat ; car je m'étais fait stupidement recaler en juillet. La joie de mon père, en apprenant mon échec, avait été comme un coup de fouet à mon amour-propre et je redoublai de zèle. Gisèle,

qui préparait le même examen, avait été reçue
aussitôt. Je la revoyais de temps à autre ; mais
madame Parmentier ne favorisait pas nos rencontres. La liberté de mes propos pouvait l'amuser,
mais l'effrayait un peu pour sa fille. Pourtant Gisèle
ne se laissait guère influencer, et non plus par moi
que par sa mère, encore qu'elle l'adorât ; mais elle
savait au besoin lui tenir tête, sans élever jamais
la voix, avec obstination et avec une douceur désar-
mante, de sorte que c'était toujours madame Parmentier qui cédait.

Nous avions, Gisèle et moi, beaucoup d'idées
communes, et c'étaient précisément les plus hardies,
ce qui me donnait beaucoup d'assurance, car j'avais
grande confiance en sa sagesse que je reconnaissais
bien supérieure à la mienne et incapable de ces
excès où mon humeur souvent m'entraînait. Gisèle
apportait à tout ce qu'elle entreprenait une pondé-
ration singulière ; son intelligence dominait de très
haut et modérait les entraînements de son cœur.
Je ne la vis jamais céder rien à la vanité ; et, précisément parce que sa beauté et son esprit lui
eussent assuré tous les succès dans le monde, elle
se refusait d'y aller et déclarait vouloir pousser
plus loin ses études. La philologie l'attirait, « ne
serait-ce qu'en souvenir de mon père, à qui je crois
que je ressemble beaucoup », me disait-elle. J'étais
également décidée à continuer de m'instruire,
n'admettant pas, non plus que Gisèle, de demeurer
désœuvrée. Et, de plus en plus, nous prétendions
assurer notre indépendance et n'avoir à compter
sur l'aide ni de parents, ni d'un mari ; « ni d'un
amant », ajoutions-nous. Car le déshonneur, selon

nous, n'était pas d'avoir un amant, mais de « se
faire entretenir ».

— Présentement s'ouvrent aux femmes un certain nombre de carrières dans lesquelles je pourrais
espérer réussir, — disais-je à Gisèle. — Mais ce
sont des professions où le mieux que la femme
puisse, c'est de faire oublier qu'elle n'est pas un
homme. Ce que je voudrais c'est... Enfin je cherche une situation qui ne puisse être occupée que
par une femme. Je suis convaincue que les femmes
sont capables de beaucoup plus et de bien autres
choses qu'on ne le pense généralement et qu'elles
ne le savent elles-mêmes. Jusqu'à présent on ne
leur a jamais laissé la possibilité de manifester leur
valeur. Je voudrais, vois-tu, inventer une carrière
qui me permît d'aider les femmes en leur apprenant à se connaître, à prendre conscience de leur
valeur.

— Mais comment ? Mais par quel moyen ?

— Je ne sais pas encore. Du moins tu ne ris
pas de moi. Ce que je te dis ne te paraît pas trop
absurde ?

— Pas absurde du tout. Mais je crois que le plus
grand nombre des femmes se trouvent parfaitement satisfaites de la dépendance où les maintient
la flatteuse galanterie des hommes. Ce qu'il faudrait d'abord obtenir, c'est qu'elles-mêmes sou-
haitassent changer.

— Tu ne trouves pas que ces hommages mêmes
que les hommes rendent au « beau sexe » ont quelque chose d'avilissant ?

— Oui, d'avilissant pour les hommes.

— Et qu'une femme peut aspirer à mieux qu'à

éveiller des désirs, à se faire adorer, à s'assujettir un homme ou des hommes ?

— Sans compter que cela doit être terriblement encombrant, cette adoration. Si je ne pensais pas comme toi, je ne chercherais pas à m'instruire.

— Écoute, Gisèle : je crois fermement qu'il y a beaucoup de femmes capables ; qu'il y a beaucoup plus de valeur qu'on ne croit parmi les femmes ; et que toute cette valeur reste inemployée, parce qu'on ne la connaît pas, parce qu'elle-même ne se connaît pas, parce que jusqu'à présent on ne l'a jamais appelée à se manifester, à se produire.

— Oui, mais je crois aussi qu'il peut entrer beaucoup de valeur et de vertu dans la soumission.

— C'est précisément contre cette soumission que je proteste. Dans la soumission cette valeur reste sous le boisseau. Les qualités féminines peuvent être différentes de celles des hommes sans être pour cela inférieures. Pourquoi soumettre celles-ci à celles-là ?

— Si les femmes n'étaient point belles et ne se sentaient pas désirées, elles prétendraient à mieux qu'à plaire.

— Combien je t'aime, Gisèle, de ne pas t'en tenir à ta beauté !

— Je ne sais pas si je suis belle ; je ne veux m'inquiéter que des qualités et des défauts de mon esprit. Pourtant j'avoue que je souffrirais beaucoup d'être laide et que j'aurais moins de cœur au travail s'il devait n'être pour moi qu'une compensation.

— Ce n'est pas seulement plus d'instruction que

je voudrais pour la femme, mais plus d'initiative, plus de courage, plus de décision.

— Les lois nous en permettent bien peu.

— A propos... Je voudrais faire mon droit. Quelle belle expression, tu ne trouves pas ? « Faire *son* droit ! » Si seulement cela voulait dire un peu plus que simplement suivre des cours ! Les droits de la femme, je voudrais apprendre à parfaitement bien les connaître ; et pas seulement tels qu'ils sont en France ; pour pouvoir mieux donner ensuite, à un tas de femmes, la conscience de leurs pouvoirs.

— Et de leurs devoirs, je suppose.

— Évidemment. Qui peut plus, doit plus ; oui, je sais. Quelle belle chose pourtant ce serait d'assumer de nouveaux devoirs ! Et d'éveiller chez d'autres femmes le désir de les assumer. Je crois qu'il y a en nous beaucoup de possibilités et de besoins qui s'ignorent, qui sommeillent dans l'attente, et que souvent il suffirait d'un appel pour les éveiller. Je voudrais dire à chaque femme ce que, depuis quelque temps, chaque matin je me dis à moi-même : IL NE TIENT QU'A TOI.

— De faire quoi ?

— Oh ! n'importe. Je pense à ce récit de l'Évangile, lorsque le Christ dit à la femme paralytique : « Lève-toi, prends ton lit et marche. » Et la femme aussitôt se lève et commence à marcher.

— Hélas, Geneviève, tu n'es pas le Christ, pour faire des miracles ; tu ne feras pas marcher les impotents.

— Je ne peux ni ne veux croire aux miracles. Si la femme se lève, c'est qu'elle pouvait se lever.

Elle pouvait, mais elle ne savait pas qu'elle pouvait.
Il fallait cette injonction, et il suffisait d'elle, pour
lui donner conscience de son pouvoir. Jusqu'où
s'étend ce pouvoir de la femme, c'est ce que je voudrais d'abord apprendre à bien connaître, pour me
garder de l'inviter à rien, d'exiger rien, que je ne
sois certaine qu'elle puisse obtenir. Et naturellement c'est sur moi-même d'abord que je veux
éprouver la force et la vertu de cette exigence.

Gisèle alors m'attira contre elle et m'embrassa
sur le front :

— Je ne peux que te redire les paroles du Christ
que tu citais : Lève-toi et marche. Il ne tient qu'à
toi.

Ce n'est que quelques mois plus tard que je pus
avoir avec le docteur Marchant l'importante conversation que, depuis longtemps, je me promettais.
Leçons et entretiens réguliers avaient repris par
delà mes examens. Madame Marchant y assistait
toujours ; mais elle venait d'être appelée à Bayonne
auprès d'une parente âgée, et le docteur attendait
le moment de ses courtes vacances pour l'y rejoindre. Ceci se passait donc en juillet.

Je crains que l'on ne trouve bien hardis pour
une jeune fille de dix-sept ans les propos que je
vais rapporter ; mais je répète que tout ce que je
pouvais alors penser et dire restait parfaitement
théorique. Ma pensée seule allait de l'avant, et
d'autant plus audacieusement qu'elle ne s'inquiétait nullement du non-assentiment de mes sens.
Le cynisme que j'affectais ne m'était pas naturel ;

je m'y forçais et devais, pour parler comme je faisais, prendre beaucoup sur moi. Je me félicitais
alors de la victoire que je remportais sur moi-
même en triomphant ainsi de ma réserve, de ma
timidité, de ma pudeur. Tout cela m'apparaît
aujourd'hui comme une sorte de comédie pour
laquelle je fournissais à la fois la mise en scène, le
débat et l'applaudissant spectateur. Donc, certain
soir que je me trouvais seule avec le docteur Marchant, dans son cabinet de consultations où il me
recevait comme à l'ordinaire et où j'étais venue
le retrouver à huit heures et demie avec la ferme
intention de lui parler, j'attendais le moment propice. Le temps passait. Je fis comme Julien Sorel :
je me donnai jusqu'à neuf heures cinq, me répétant :

— Si je laisse l'aiguille des minutes dépasser ce
point sans avoir abordé le sujet qui me tient à cœur,
je saurai que je suis lâche et que, à l'avenir, je ne
pourrai compter sur moi.

Le docteur, il m'en souvient, parlait alors précisément d'hérédité, m'exposait les lois de Mendel,
disait les caractères qui sont ou non transmissi-
bles. J'attendais qu'il reprît souffle, ce qu'il fit à
neuf heures quatre. Alors, bien vite, avant qu'il
n'ait eu temps de repartir, fermant les yeux, ser-
rant les poings, comme lorsque je plongeais du
haut du tremplin avant de très bien savoir nager,
je m'élançai, le cœur battant au point que je doutais de pouvoir aller au bout de ma phrase :

— Oncle Marchant (c'est ainsi que je l'appelais),
je voudrais savoir si vous n'avez pas voulu avoir
d'enfants, ou si c'est que vous n'avez pas pu en
avoir ?

Il eut un rire, un peu forcé, me sembla-t-il.

— Eh bien ! pour une « mutation brusque... »
— dit-il, par allusion à ce qu'il venait de m'ensei-
gner. Et, comme rien ne suivait :

— Vous préférez, je vois, ne pas me répondre ;
ou bien n'osez-vous pas ?

Il prit soudain un ton très grave :

— Mon petit, je peux bien t'avouer que la
tristesse de n'avoir pas d'enfants a été, pour ta
tante et pour moi, la seule ombre de notre ménage.
La seule, — reprit-il un peu solennellement ; —
mais elle est de taille. Les années passent ; nous
voyons tous deux naître et grandir les enfants des
autres et nous ne pouvons, elle ni moi, nous consoler
de n'en point avoir. Tu vois que je ne crains pas de
te parler franchement. Quant aux causes de cette...
— Il hésita un peu, comme s'il cherchait un mot ;
il trouva : « stérilité », qu'il employa comme à
contre-cœur et les traits du visage un peu contrac-
tés, — tu me permettras, je suppose, de ne pas te
les dire. Et, du reste, tu n'as que faire de les savoir.

— Ce qui m'importe, — repris-je, — c'est
d'apprendre qu'il ne suffit donc pas ici de vouloir,
pour pouvoir.

Le plus difficile restait à dire ; je crus un instant
que le cœur me manquait ; puis, ressaisissant tout
mon courage :

— Oncle Marchant, il faut que je vous disc...
Je voudrais avoir un enfant.

— Tu es encore un peu jeune pour le mariage,
— dit-il en souriant de nouveau. — Mais, bientôt,
jolie comme tu l'es et avec les relations de ton père
(ceci avec un peu d'ironie, comme toujours lorsqu'il

parlait de papa) les maris se proposeront d'eux-
mêmes, et tu n'auras que l'embarras du choix.

— Peut-être... Mais je ne veux pas me marier.

— Oh ! oh ! — fit-il presque sarcastiquement
en allumant une cigarette pour paraître plus à son
aise, car manifestement le tour que prenait la
conversation le gênait, — c'est de l'anarchie. —
Il tira quelques bouffées, puis : — Après tout, cela
ne m'étonne pas de toi.

Comme il n'ajoutait rien, je demandai :

— Vous trouvez cela très mal ?

Il prit un temps.

— A vrai dire : non. Je trouve cela très imprudent, ce qui n'est pas la même chose. Tu n'as sans
doute pas encore envisagé les énormes difficultés
qui rendent cela presque...

Je ne le laissai pas achever et, du plus calme
que je pus :

— Il n'y a pas difficulté qui tienne, lorsqu'on
est résolu comme je le suis.

Alors, sur un ton tout différent et comme pour
couper court :

— Écoute, mon petit : tu n'es encore qu'une
enfant. Nous reparlerons de cela dans quelques
années, si ta résolution n'a pas changé.

Il se leva, estimant, je pense, que la conversation
avait assez duré et qu'à présent je devais partir.
Mais je restais assise. Alors il commença d'arpenter
la pièce, puis, brusquement, s'arrêtant en face de
moi :

— Mais peut-on savoir pourquoi tu refuses de
te marier ? c'est tout de même tellement plus simple.

C'était plus simple aussi de ne pas répondre. Je
ne pouvais donner toutes mes raisons ; il eût ensuite
fallu discuter... Je me tus. Il fit de nouveau quelques pas vers le fond de la pièce, puis, revenant
vers moi :

— Mais d'abord, pour faire un enfant, il faut
s'y mettre à deux, tu le sais.

— Je le sais.

— Tu aimes quelqu'un ?

— Je sais aussi que, pour cela, il n'est pas précisément besoin d'amour.

— Enfin tu as quelqu'un en vue ?

Il était de nouveau en face de moi. Il me regardait. Je levai les yeux vers lui, et, dans un grand
effort, murmurai :

— Oui : vous.

Il partit d'un grand éclat de rire, très factice me
sembla-t-il, et s'écria :

— Ah ! ça, par exemple ! — Puis s'étant levé et
arpentant la pièce à grands pas, répéta par deux
fois : — ça, par exemple ! — en haussant les épaules. Il ajouta, tourné vers moi : — Et depuis quand
t'es-tu mis cette absurdité dans la tête ?

Je demeurais très calme et demandai simplement :

— Absurdité... pourquoi ?

Il répéta, très haut :

— Pourquoi ? Pourquoi ?... — Puis, plus bas
mais nettement, sèchement : — Parce que j'aime
ma femme. A présent, suffit n'est-ce pas ? — et
sortit sans me dire adieu.

Mon cœur battait. J'avais le feu au visage et me
sentis soudain un violent mal de tête. Je ne partis
pourtant pas aussitôt, et bien m'en prit car mon

oncle Marchant revint quelques instants après. Il
s'approcha de moi et posa tendrement sa main sur
mon épaule. Quand je le regardai, je vis qu'il
s'était passé de l'eau sur le visage.

— Voyons, mon petit,— dit-il d'une voix presque tendre, — tu devrais pourtant comprendre
que je ne veúx pas faire de peine à ta tante. Non !
mais vois-tu cela ? Que j'aie un enfant qui ne
serait pas d'elle, après qu'elle regrette déjà tant de
n'avoir pas pu m'en donner ? Mais ça lui crèverait
le cœur.

Sa main me caressait l'épaule ; mais à présent
j'avais baissé la tête. Je me levai.

— Allons ! — dit-il ; — quittons-nous bons amis
tout de même. Mais... non ; ce soir tu mérites que
je ne t'embrasse pas.

Je serrai la main qu'il me tendait ; et, brusquement, irrésistiblement, posai sur cette main mes
lèvres ; puis m'enfuis.

A vrai dire, c'est à partir de cet instant seulement que je commençai d'aimer le docteur Marchant, ou, plus exactement : de me figurer que je
l'aimais. Je crois que je l'aurais soudain détesté
tout au contraire s'il avait abondé dans mon sens.
En tout cas, mon embarras eût été extrême et
j'aurais dû furieusement « prendre sur moi » ; car
mon être physique n'approuvait nullement cette
embardée de mon esprit. Et, de même, mon esprit
s'irritait de cette retenue, prétendait passer outre ;
et j'enrageais de me sentir malgré moi si pudique
et si réservée. Quelle enfant je pouvais être encore !
naïvement convaincue que l'on pouvait disposer
à son gré de son corps et de son cœur, je tenais en

grand mépris les amoureux involontaires et prétendais n'aimer personne que je n'eusse résolu d'aimer. Aussi vainement, aussi absurdement aurais-je résolu de ne point laisser mes seins se gonfler. La vie avait encore tout à m'apprendre, et principalement ceci : c'est qu'il faut n'aimer point pour disposer de soi librement.

Je revis le docteur Marchant peu de temps après. Madame Marchant était de retour de Bayonne, mais, au bout de peu d'instants, elle se retira, contrairement à son habitude, ce qui me laissa croire que le docteur lui avait demandé de nous laisser seuls.

— Écoute, mon petit, — me dit-il aussitôt, — je ne voudrais pas que notre conversation de l'autre soir laissât la moindre gêne entre nous. Mais cela ne se peut que si tu acceptes que je ne prenne pas au sérieux ce que tu m'as dit.

Il était assis devant sa table et parlait sans me regarder. La lampe éclairait en plein son beau front ; je regardais son visage, ses mains, tout son être, et me demandais : ai-je désir de l'embrasser ? de le serrer dans mes bras ? d'être enlacée par lui ?... J'étais bien forcée, en dépit de moi, de me répondre : non. Il prit un coupe-papier d'ivoire sur la table, en passa le tranchant sur ses lèvres ; et je ne souhaitai décidément pas être à la place du coupe-papier. N'importe ! Je décidai pourtant que j'aimais le docteur. Il reprit :

— Non, pas tout ce que tu m'as dit, peut-être ; mais la dernière chose... inutile que je précise. Quant au reste... Écoute un peu, mon petit : il m'est arrivé souvent, très souvent, dans ma car-

rière, d'avoir à m'occuper de pauvres filles qui
s'étaient laissé engrosser, par faiblesse, par mala-
dresse ou par amour ; quelques-unes volontairement, et le plus souvent alors, avec l'espoir bien
vain de s'attacher un amant. Presque toutes beaucoup plus à plaindre que tu ne sembles le croire.
Mais jamais, jusqu'à présent, je n'ai rencontré de
femme, de jeune femme, qui songeât à avoir un
enfant sans songer d'abord à l'amour. Un enfant,
c'est la conséquence, souhaitée ou non et pas iné-
vitable, de quelque chose qui doit compter d'abord
beaucoup plus que l'enfant ; de quelque chose dont
tu as l'air, toi, de ne pas vouloir tenir compte.
Pour ne pas trouver cela monstrueux (et, comme
je risquais un geste, il répéta : oui, monstrueux !)
j'ai besoin de me dire que tu es encore beaucoup
trop jeune pour...

Je l'interrompis.

— Pas trop jeune pour avoir un enfant, tout de
même ?

— Non, parbleu ! (J'aurais dû dire : hélas !)
Mais pour parler d'en avoir.

Le docteur s'était levé et avait fait quelques pas
dans la pièce. Il y eut un silence prolongé, que je
me gardai d'interrompre.

— Je voudrais pourtant comprendre ce qui
t'attire, — reprit-il enfin sur un ton d'agressive
ironie en s'arrêtant devant moi. — Est-ce la grossesse ? Est-ce l'accouchement ?... Je puis t'affirmer
que cela n'a rien de particulièrement délicieux.

Je me taisais toujours mais, à chacune de ses
questions, remuais la tête en signe de dénégation.
Il continuait :

— Est-ce l'enfant lui-même ? Son allaitement ?
Le plaisir de changer ses langes ? De jouer à la
poupée ?

Les questions du docteur me paraissaient absur-
des. Si raisonnable d'ordinaire on eût dit qu'il perdait la tête. A vrai dire je n'avais jamais analysé
les composantes de ma résolution mais, dans mon
cas particulier, je crois qu'il entrait encore et surtout de la protestation ; oui : de la protestation
contre un ordre établi que je me refusais à reconnaître, contre ce que mon père appelait « les bonnes
mœurs » et, plus spécialement encore, contre lui,
qui les symbolisait à mes yeux, ces « bonnes
mœurs » ; un besoin de l'humilier, de le mortifier,
de l'amener à rougir de moi, à me désavouer ; un
besoin d'affirmer mon indépendance, mon insoumission, par un acte que seule une femme pouvait
commettre, dont je prétendais assumer la pleine
responsabilité, sans trop envisager ses conséquen-
ces. Je tâchai, bien confusément, d'expliquer un
peu tout cela à Marchant. Mais les beaux argu-
ments, que je tenais pour péremptoires tant que
je les gardais par devers moi, me paraissaient, à
mesure que je les exposais, de plus en plus déplo-
rablement enfantins. Sans doute ne méritaient-ils
qu'un haussement d'épaules. Je fus presque surprise par le ton conciliant que Marchant prit pour
me dire :

— Écoute, mon petit, pour une femme qui
souhaite la liberté, te rends-tu compte de ce que
c'est que d'avoir la charge d'un enfant ? Quelle
dépendance ! Quel esclavage !

Et, comme je ne répondais rien :

— Têtue comme une mule, décidément, — fit-il
en haussant les épaules.

— J'espérais de vous, je l'avoue, autre chose
qu'une réprimande, — dis-je après un assez long
silence.

— Tu espérais quoi ?... Un conseil... Je m'en
vais t'en donner un très net : c'est de penser à
autre chose.

A ce moment, on entendit ma tante approcher.
Sans doute voulait-elle nous avertir, car elle faisait
beaucoup plus de bruit qu'il n'était nécessaire, et
même, à très haute voix, demanda qu'on lui ouvrît
la porte, car elle avait les bras chargés. Craignait-
elle donc de nous surprendre ? Du coup, j'inter-
prétai différemment sa continuelle présence durant
la leçon du docteur.

Elle apportait sur un plateau des **verres et** de
l'orangeade, que nous bûmes tous trois presque en
silence, ou ne disant plus que de ces banales fadai-
ses où je la croyais cantonnée, parce que je m'y
cantonnais devant elle.

Je ne voyais plus Gisèle que de loin en loin, je
l'ai dit, mais restais extrêmement soucieuse de son
opinion ; je lui reparlai de ma résolution.

— Non, je ne la désapprouve pas précisément,
— me dit-elle, — mais décidément nous différons
beaucoup. A cause de toi sans doute, je me suis
longuement interrogée. Je crois, vois-tu, que je
suis de ces femmes qui ne sont capables que d'un
seul amour. Et je me dis : Alors pourquoi ne pas
épouser celui que j'aimerai ?

Je repris :

— Quant à moi, je ne puis accepter de me donner toute à quelqu'un. Je me révolte à l'idée de
devoir soumettre ma vie à celui qui me rendra
mère, et je veux que lui, de son côté, reste libre.
N'admets-tu pas qu'au lieu de se donner l'un à
l'autre, on se prête ?

— Celui qui se prêterait à ce jeu, pour la femme
si plein de conséquence, comment aurais-tu pour
lui quelque estime ? — Et, comme je ne répondais
rien, elle reprit : — Vois-tu, Geneviève, toutes tes
belles théories, la vie se chargera de les bousculer,
je le crois... Et ce sera tant mieux, — ajouta-t-elle,
en souriant, puis fredonnant à demi-voix :

> *Nous tromper dans nos entreprises*
> *C'est à quoi nous sommes sujets.*
> *Le matin, je fais des projets*
> *Et le long du jour des sottises.*

— C'est de toi, ces jolis vers ?

— Penses-tu ! — dit-elle gaminement. — C'est
un petit quatrain de Voltaire que je me répète
volontiers et qui pourrait bien te convenir. Ma
pauvre Geneviève, un jour tu te laisseras séduire,
tout comme une autre, en dépit de tes belles résolutions ; ou, qui pis est, tu croiras découvrir dans
ton séducteur une intelligence extraordinaire et
des tas de vertus qui n'existeront que dans ton
imagination. Tu sais pourtant bien déjà ce que
c'est que de s'éprendre et qu'alors l'on n'est plus
du tout maître de soi.

— Que veux-tu dire ?

— A présent je crois que, pour toi ni moi, il n'y a plus de danger d'en parler. Tu ne t'es pas rendu compte n'est-ce pas que, moi aussi, j'ai été folle de Sara ? Oui, malgré ma belle réputation de sagesse, complètement affolée ; ma seule sagesse était de le laisser moins paraître que toi ; mais je n'en dormais plus. Oh ! ne t'alarme pas ; il n'y a jamais rien eu entre nous ; mais, dans ses bras, j'aurais fondu comme du sucre. Heureusement, Sara ne s'en est pas doutée. Si je t'en parle à présent, et avec calme tu le vois, c'est seulement pour te demander : admettant que Sara fût un homme, l'aurais-tu laissée te faire un enfant ?

La confidence de Gisèle m'avait fort émue. Je pris un peu de temps avant de pouvoir répondre, mais avec assurance :

— Non.

— Pourquoi ? demanda Gisèle, qui ajouta tout aussitôt : Il est bien entendu que nous mettons ici de côté tout « respect humain », toute pudeur, et toute morale apprise ; mais plus on se dégage de celle-ci, plus il importe je crois d'être exigeant envers soi-même. Tu le penses aussi, n'est-ce pas ?

— Certainement, et, si je me force au cynisme, ce n'est pas du tout, tu le sais, pour m'octroyer plus de plaisir.

— Alors, réponds : pas d'enfant à l'image de Sara... pourquoi ?

— Parce que l'attrait physique est pour moi de moindre importance que certaines qualités de l'intelligence et du cœur, celles précisément que n'a pas Sara ; celles que je reconnais en toi.

— Dommage que je n'aie pas un frère, — s'écria-t-elle aussitôt, en riant.

Puis, pour ne rien laisser de douteux entre nous, je lui racontai mes deux conversations avec Marchant. Elle était redevenue très sérieuse.

— Écoute, — me dit-elle, — tu devrais parler de tout cela avec ta mère. Telle que je la connais, elle te comprendra très bien.

— Oui, j'y pense depuis longtemps, et je me promets de lui parler un jour ; un peu plus tard. Mais pas de ce que je viens de te dire du docteur Marchant...

— Pourquoi ?

— Je crois qu'il vaut mieux pas.

Une sorte d'instinct m'avertissait.

C'est à Châtellerault, en octobre 1916, où j'allais revoir ma mère peu de temps avant sa mort, que je pus avoir avec elle cette conversation que je me promettais depuis longtemps. Ainsi que je le dis en quelques mots dans le court avant-propos qui précède le journal de ma mère, paru sous le titre de *l'École des Femmes*, ma mère était allée donner ses soins aux contagieux dans un hôpital de l'arrière aussi dangereux dans son genre que le plus exposé des fronts. J'avais voulu d'abord l'accompagner ; elle s'y était refusée. Mais elle accepta que j'aille passer quelques jours auprès d'elle, entre deux services d'ambulance que je m'étais donnés pour tâche. Elle était donc, lorsque je la revis, en costume d'infirmière qu'elle ne quittait plus. L'hôpital était plein de malades ; par crainte des conta-

gions, ma mère ne voulut pas m'y laisser entrer.
Et comme je protestais qu'elle y entrait bien :

— Oui, mais nous autres infirmières, nous
sommes immunisées, — me dit-elle en riant. —
Songe donc ! après cinq mois... — C'était, je l'ai
dit, très peu de jours avant sa mort. Elle me parut
très fatiguée par le surmenage et les veilles ; mais,
lorsque je lui dis qu'elle devrait prendre un peu de
repos, elle protesta qu'elle ne s'était jamais mieux
portée que depuis qu'elle n'avait plus le temps de
songer à elle, et qu'il en était de même pour les
soldats. — Et pour toi aussi, j'en suis sûre, —
ajouta-t-elle.

Il est certain que j'allais beaucoup mieux, depuis
que j'étais uniquement occupée par le service des
transports de blessés. Mes troubles, mes inquiétudes de naguère, m'apparaissaient lointains déjà.
Je n'y pensais plus, ou seulement pour en sourire,
et c'est avec une parfaite tranquillité que je commençai de parler à ma mère du docteur Marchant.

— Je voudrais savoir ce que tu penses de lui,
— dis-je.

— Mais je pense que c'est un médecin des plus
remarquables et, de plus, un homme excellent.

— Oui, cela c'est ce que tout le monde dit de
lui. Ce que je voudrais, c'est un jugement plus
personnel.

Elle resta longtemps sans rien dire, regardant à
ses pieds en souriant. Nous étions dans le jardin
public de la ville. Il faisait très beau ce jour-là, et,
malgré la saison avancée, l'air était presque tiède.
Près de nous, des pigeons qui picoraient le pain
qu'un promeneur leur avait jeté prirent leur vol.

Elle me regarda en souriant davantage avec une légère contraction des traits qu'elle ne pouvait maîtriser.

— T'es-tu jamais doutée que j'aimais le docteur Marchant ? — commença-t-elle enfin d'une voix un peu tremblante. — Une telle confession de la part d'une mère, à sa fille, est sans doute bien... — Elle ne trouva pas de mot pour achever sa phrase et continua : — C'est un petit secret que je n'avais dit à personne ; et que je ne t'aurais jamais dit si j'avais à en rougir... Un secret qui ne tire guère à conséquence, puisque je n'ai jamais cherché son amour, à lui... Mais quand j'ai cessé de tenir à l'estime de ton père, c'est-à-dire quand j'ai cessé de l'estimer (je pense qu'ici je ne t'apprends rien)... eh bien, j'ai eu besoin de l'estime du docteur Marchant, et c'est elle qui m'a soutenue dans certaines heures tristes et difficiles.

— Alors, tu ne lui as jamais parlé ? Pourquoi ?... (Elle avait fait non de la tête, mais ne répondit pas au « pourquoi ».) — Et tu es bien sûre qu'il ne s'est douté de rien ?

Elle resta quelques instants silencieuse de nouveau, puis :

— Il y a quelqu'un qui, pourtant, s'est bien douté de quelque chose... C'est sa femme.

— Madame Marchant ?

— Oui : mon amie. Et c'est à cause d'elle que je n'ai jamais rien dit. Je ne voulais pas la faire souffrir.

— Sait-elle au moins ton sacrifice ?

— Mais, Geneviève, il n'y a pas eu de sacrifice. Tout était mieux ainsi.

Avec un peu d'impatience, je demandai de nouveau :

— Es-tu bien sûre que, lui, ne se soit douté de
rien ?

Elle cessa de sourire :

— De presque rien. — Elle m'embrassa sur le
front, et, souriant de nouveau, avec un geste de
la main comme pour chasser ces souvenirs : —
Mon cher petit, pourquoi est-ce que je te raconte tout
cela aujourd'hui ?... Je te surprends beaucoup ?
Tu te souviens que tu t'étais mis dans la tête (je
ne sais vraiment pas pourquoi) que j'étais amoureuse de ce pauvre brave Bourgweilsdorf ?

— Oui ; c'était ridicule, mais j'avais besoin
d'imaginer que tu aimais quelqu'un d'autre que
papa.

— Chut ! — fit-elle, comme en me grondant
doucement. — Tu m'as dit des choses terribles ce
jour-là.

— Je me souviens seulement que j'étais furieuse,
parce que je croyais que tu te sacrifiais pour moi.

— Et quand cela eût été, Geneviève ?... — dit-
elle avec une extraordinaire gravité.

— C'est que j'ai horreur des sacrifices.

— Tu parles comme quelqu'un qui n'a pas
encore aimé. J'ai un peu froid, marchons. Et puis
il va être temps que je retourne à l'hôpital.

Un léger vent commençait de souffler et des
feuilles mortes tombèrent.

Nous nous levâmes.

— J'ai quelque chose encore à te raconter, —
lui dis-je, poussée par une soudaine résolution. Et,
tout d'une haleine : — Sais-tu ce qu'un jour j'ai

dit **au** docteur Marchant ?... Que je voulais avoir un enfant de lui.

Comme repoussée par un choc, je la vis reculer de deux pas.

— Mais, Geneviève !... et cela était dit sur un ton indéfinissable, comme à la fois scandalisée, mais d'une manière un tout petit peu feinte, inquiète, et un tout petit peu amusée. Elle ajouta, les lèvres tremblantes :

— Je ne te comprends pas.

— Oui, — continuai-je brutalement, — que je voulais qu'il me rendît mère.

— Qu'est-ce qui t'avait pris, mon pauvre petit ? — et cette fois sur un ton où le reproche dominait.

— Je ne sais pas. Une idée, comme ça, que j'avais eue.

— Et... qu'est-ce qu'il t'a répondu ? — Cette fois, c'était l'inquiétude.

— Il m'a dit que je parlais comme une enfant, une enfant indécente et folle ; qu'il refusait de me prendre au sérieux, que...

— Que quoi encore ?

— Et qu'enfin il ne voulait pas, parce que...

— Parce que quoi ? Voyons, ne crains pas de parler.

— Parce qu'il aimait sa femme. Mais je comprends aujourd'hui, — ajoutai-je en la regardant fixement, — que ce n'était pas seulement pour cela.

— Peut-être, — dit-elle tout bas.

Il me parut que ses lèvres tremblaient. Ah ! combien plus respectables, plus authentiques surtout, que mes résolutions égoïstes, m'apparaissaient

en ce moment les délicats sentiments inexprimés
de ma mère, du docteur Marchant, de ma tante
même, tous ces fils mystérieux et fragiles tissés
secrètement de cœur à cœur, que j'accrochais à
mon passage en poussant inconsidérément ma
pointe... C'est cela que j'aurais voulu lui dire avant
de la quitter. Mais elle mit un doigt non sur ses
lèvres mais sur les miennes, en souriant tendrement
et avec un regard qui me fit comprendre qu'il
n'était pas besoin entre nous de plus de paroles.
Alors je la saisis dans mes bras, l'embrassai de
toutes mes forces. Elle me dit adieu.

Je ne devais plus la revoir.

TABLE DES MATIÈRES

CE LIVRE EST SORTI DES PRESSES
DE L'IMPRIMERIE DARANTIERE A
DIJON LE TRENTE DÉCEMBRE M. CM. XLVII

Numéro d'édition 1072
Dépôt légal 4ᵉ trimestre 1944

IMPRIMÉ EN FRANCE